Level 3

Level 4

Level 2

Level 1

KB214446

뉴런 고난도

심화·고난도 수학으로 **상위권 도약!**

수학 1(하)

정답과 풀이는 EBS 중학사이트(mid.ebs.co.kr)에서 다운로드 받으실 수 있습니다.

교재 내용 문의
교재 내용 문의는 EBS 중학사이트
(mid.ebs.co.kr)의 교재 Q&A
서비스를 활용하시기 바랍니다.

교재 정오표 공지
발행 이후 발견된 정오 사항을 EBS 중학사이트
정오표 코너에서 알려 드립니다.
교재학습자료 ▶ 교재 ▶ 교재 정오표

교재 정정 신청
공지된 정오 내용 외에 발견된 정오 사항이
있다면 EBS 중학사이트를 통해 알려 주세요.
교재학습자료 ▶ 교재 ▶ 교재 선택 ▶ 교재 Q&A

예비 중학생을 위한 기본 수학 개념서

30일 수학 상 하

30일 수학 상 하 |2책|

- 수학의 맥을 짚는 **중학 수학 입문서**
- 수학 **영역별 핵심 개념**을 연결하여 **단계적으로 학습**
- **영역별 연습 문항**으로 부족한 영역 집중 마스터

"중학교 수학, 더 이상의 걱정은 없다!"

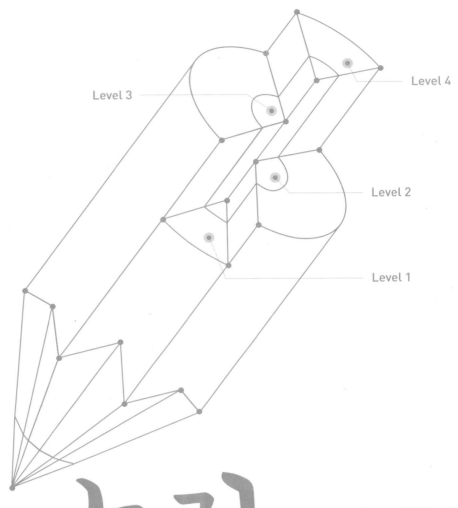

Level 3

Level 4

Level 2

Level 1

심화·고난도 수학으로 **상위권 도약!**

뉴런 고난도

수학 1(하)

Structure 구성 및 특징

고난도 대표유형·핵심개념

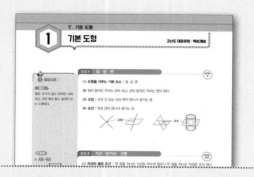

중단원별 출제 빈도가 높은 고난도 대표유형을 제시하고, 유형별 관련된 핵심 개념을 구성하였습니다. 1등급 노트의 오답노트, TIP, 추가 설명 등을 통해 개념을 보다 깊이 이해할 수 있습니다.

Level 1 – Level 2 – Level 3 – Level 4

Level **1** 고난도 대표유형 연습

Level **2** 유형별 응용 문항 학습

Level **3** 고난도 문제 집중 심화 연습

Level **4** 최고난도 문제를 통해 수학 최상위 실력 완성

목표 수준에 따라 체계적으로 학습할 수 있도록 단계별 문제를 구성하였습니다. 단계별 문항 연습을 통해 실력을 높일 수 있습니다.

대단원 마무리 Level 종합

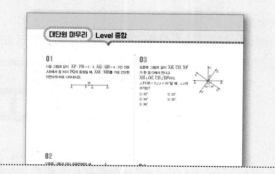

단원에서 학습한 내용을 토대로 종합적인 형태의 문제 해결 능력을 키울 수 있도록 구성하였습니다.

정답과 풀이

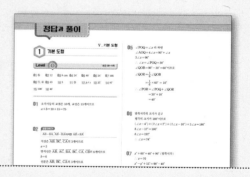

자세하고 친절한 풀이로 문제를 쉽게 설명하였습니다. 실수하기 쉬운 부분 짚어보기, 함정 피하기 등을 추가 구성하였고, Level 4에는 풀이 전략을 함께 제시하였습니다.

Contents 이 책의 차례

1 기본 도형

 고난도 대표유형·핵심개념

유형 1 점·선·면

난이도 ★

(1) **도형을 이루는 기본 요소 :** 점, 선, 면

(2) 점이 움직인 자리는 선이 되고, 선이 움직인 자리는 면이 된다.

(3) **교점 :** 선과 선 또는 선과 면이 만나서 생기는 점

(4) **교선 :** 면과 면이 만나서 생기는 선

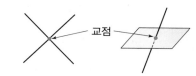 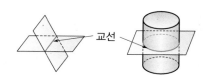

유형 2 직선·반직선·선분

난이도 ★★

(1) **직선의 결정 조건 :** 한 점을 지나는 직선은 무수히 많으나 두 점을 지나는 직선은 오직 하나 뿐이다.

(2) **직선 AB :** 서로 다른 두 점 A, B를 지나는 직선을 직선 AB라 하고, 기호로 $\overleftrightarrow{AB}$로 나타낸다.

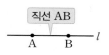

(3) **반직선 AB :** 직선 AB 위의 점 A에서 시작하여 점 B의 방향으로 뻗은 부분을 반직선 AB라 하고, 기호로 $\overrightarrow{AB}$로 나타낸다.

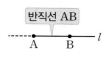

(4) **선분 AB :** 직선 AB 위의 점 A에서 점 B까지의 부분을 선분 AB라 하고, 기호로 $\overline{AB}$로 나타낸다.

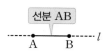

(5) **두 점 A, B 사이의 거리 :** 두 점 A, B를 잇는 선 중에서 가장 짧은 선으로 선분 AB의 길이이다.

(6) **선분 AB의 중점 M :** 선분 AB의 길이를 이등분하는 선분 AB 위의 점 M

① $\overline{AM}=\overline{MB}=\dfrac{1}{2}\overline{AB}$ ② $\overline{AB}=2\overline{AM}=2\overline{MB}$

---

1 등급 노트

참고

점은 크기가 없고 위치만 나타내고, 선은 폭이 없고 길이만 있는 도형이다.

주의

(1) $\overline{AB}=\overline{BA}$

(2) $\overleftrightarrow{AB}=\overleftrightarrow{BA}$

(3) $\overrightarrow{AB}\neq\overrightarrow{BA}$

플러스 개념

어느 세 점도 한 직선 위에 있지 않은 n개의 점이 있을 때

① 직선, 선분의 개수 : $\dfrac{n(n-1)}{2}$

② 반직선의 개수 : $n(n-1)$

각 유형 3

(1) **각 AOB** : 한 점에서 시작하는 두 반직선 OA, OB로 이루어진 도형을 각 AOB라 하고 ∠AOB, ∠BOA, ∠O, ∠a 로 나타낸다.

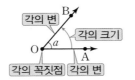

(2) **각의 크기와 종류**

① **평각** : 각의 두 변이 한 직선을 이루는 각, 즉 각의 크기가 180°인 각

② **직각** : 평각의 크기의 $\frac{1}{2}$인 각, 즉 각의 크기가 90°인 각

③ **예각** : 크기가 0°보다 크고 90°보다 작은 각

④ **둔각** : 크기가 90°보다 크고 180°보다 작은 각

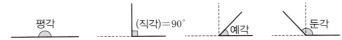

맞꼭지각, 직교와 수직 유형 4

(1) **맞꼭지각** : 교각 중 서로 마주 보는 각

⇨ ∠a와 ∠d, ∠b와 ∠e, ∠c와 ∠f

① 맞꼭지각의 크기는 서로 같으므로

∠a=∠d, ∠b=∠e, ∠c=∠f이고

∠a+∠b+∠c=180°

② n개의 서로 다른 직선이 한 점에서 만날 때 생기는 맞꼭지각은 모두 n(n−1)쌍이다.

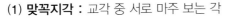

(2) **직교와 수직**

① 직교(또는 수직) : 두 직선 AB와 PQ의 교각이 직각일 때, 두 직선은 직교한다(또는 수직이다)고 한다.

즉, ∠PHA=90°일 때, $\overleftrightarrow{AB} \perp \overleftrightarrow{PQ}$

② $\overline{AB}$의 수직이등분선이 $\overleftrightarrow{PQ}$일 때,

$\overline{AH}=\overline{BH}$, ∠PHA=90°이다.

③ 점 P에서 직선 l에 내린 수선의 발 : 점 H

④ 점 P와 직선 l 사이의 거리 : $\overline{PH}$의 길이

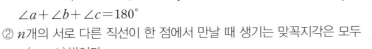

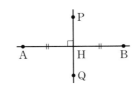

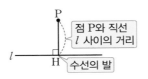

① 등급 노트

참고

① 각을 기호로 나타낼 때 각의 꼭짓점을 가운데에 쓴다.

② ∠AOB는 일반적으로 크기가 작은 쪽의 각을 말한다.

③ ∠AOB는 도형인 각을 나타내기도 하고, 각 AOB의 크기를 나타내기도 한다.

오답노트

두 직선이 한 점에서 만나는 경우가 아니므로 ∠a와 ∠b는 맞꼭지각이 아니다.

유형 5 직선의 위치 관계

(1) 두 직선의 평행 : 한 평면 위에서 두 직선 l, m이 만나지 않을 때, 두 직선 l, m이 평행하다고 하고, 기호로 $l /\!/ m$으로 나타낸다.

(2) 꼬인 위치 : 공간에서 두 직선이 만나지도 않고 평행하지도 않을 때, 두 직선은 꼬인 위치에 있다고 한다.

(3) 공간에서 두 직선의 위치 관계

만나지 않는다.

① 일치한다. ($l = m$)   ② 한 점에서 만난다.   ③ 평행하다. ($l /\!/ m$)   ④ 꼬인 위치에 있다.

한 평면 위에 있다.   한 평면 위에 있지 않다.

(4) 직선과 평면의 위치 관계

공간에서 직선 l과 평면 P의 위치 관계는 다음의 세 가지 경우가 있다.

① 포함된다.

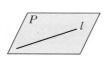

② 한 점에서 만난다.

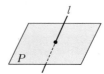

③ 만나지 않는다.(평행하다.)

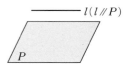

(5) 직선과 평면의 수직 : 직선 l과 평면 P가 점 H에서 만나고 점 H를 지나는 평면 P 위의 모든 직선이 직선 l과 수직일 때, 직선 l과 평면 P는 서로 수직이다(또는 직교한다)고 하고, 기호로 $l \perp P$로 나타낸다.

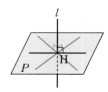

유형 6 다양한 위치 관계

(1) 일부를 잘라 낸 입체도형에서의 위치 관계

주어진 입체도형의 꼭짓점, 모서리, 면을 각각 점, 직선, 평면으로 생각하여 두 직선, 직선과 평면, 두 평면의 위치 관계를 확인한다.

(2) 전개도가 주어졌을 때 입체도형에서의 위치 관계

주어진 전개도를 접어서 만든 입체도형의 겨냥도를 그린 후 겹쳐지는 꼭짓점에 유의하여 위치 관계를 확인한다.

(3) 공간에서 두 직선, 직선과 평면, 두 평면의 위치 관계를 확인할 때는 직육면체를 그려 확인한다.

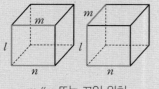

평행선의 성질   유형 7

서로 다른 두 직선이 다른 한 직선과 만날 때,

(1) 두 직선이 평행하면 동위각의 크기는 서로 같고, 동위각의
크기가 같으면 두 직선은 서로 평행하다.

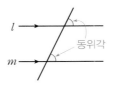

(2) 두 직선이 평행하면 엇각의 크기는 서로 같고, 엇각의 크기가
같으면 두 직선은 서로 평행하다.

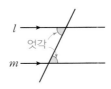

난이도
★★★

평행선과 보조선   유형 8

평행선 사이에 꺾인 점이 있으면 꺾인 점을 지나면서 주어진 평행선과 평행한 직선을 그은
후 평행선의 성질을 이용하여 각의 크기를 구한다.

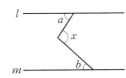 ⇨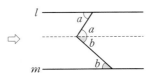

$l /\!/ m$인 경우 $\angle x = \angle a + \angle b$

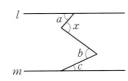 ⇨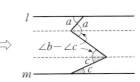

$l /\!/ m$인 경우 $\angle x = \angle a + \angle b - \angle c$

난이도
★★★

종이를 접었을 때 생기는 각의 크기   유형 9

직사각형 모양의 종이를 접는 경우

(1) 접힌 부분이 겹치므로 접은 각의 크기가 같음을 이용한다.

(2) 직사각형의 두 변이 평행하므로 엇각의 크기가 같음을 이용한다.

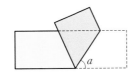 ⇨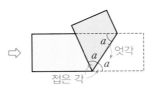

01

오른쪽 그림과 같은 도형에서 교점을 a개, 교선을 b개라고 할 때, $a+b$의 값은?

① 21   ② 22
③ 23   ④ 24
⑤ 25

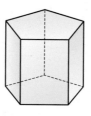

03

다음 그림에서 점 P는 $\overline{AB}$의 중점이고, 점 Q는 $\overline{BC}$의 중점이다. $\overline{AB}=14$ cm, $\overline{PQ}=11$ cm일 때, $\overline{BC}$의 길이를 구하시오.

02

오른쪽 그림의 세 점 A, B, C를 이어서 만들 수 있는 서로 다른 직선, 반직선, 선분의 개수를 각각 a개, b개, c개라 할 때, $a+b+c$의 값을 구하시오.

A •   C •

B •

04

오른쪽 그림에서 $\overline{BO}\perp\overline{OD}$, $\overline{AO}\perp\overline{OC}$이고 $\angle AOD=156°$일 때, $\angle BOC$의 크기를 구하시오.

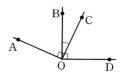

05

오른쪽 그림에서 $\overline{PO} \perp \overline{AB}$이고,
$\angle AOQ = 4\angle POQ$,
$\angle QOB = 6\angle QOR$일 때,
$\angle POR$의 크기를 구하시오.

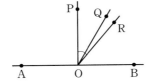

07

오른쪽 그림에서 $x+y$의 값을 구
하시오.

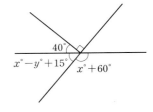

06

오른쪽 그림과 같이 네 직선이 한
점에서 만날 때, $\angle x$의 크기를 구
하시오.

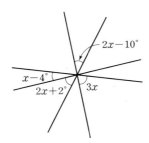

08

오른쪽 그림의 사다리꼴 ABCD
에 대한 다음 설명 중 옳은 것을
모두 고르면? (정답 2개)

① $\angle ACB = \angle DAC$
② $\angle BAC = \angle ADC$
③ 점 B와 $\overline{AC}$ 사이의 거리는 3 cm이다.
④ 점 C와 $\overline{AD}$ 사이의 거리는 4 cm이다.
⑤ 점 D와 $\overline{AC}$ 사이의 거리는 7 cm이다.

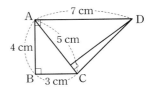

09

오른쪽 그림과 같이 $\overleftrightarrow{PQ}$가 $\overline{AB}$의 수직이등분선일 때, $x+y$의 값을 구하시오.

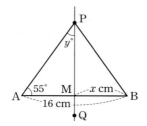

10

오른쪽 그림과 같은 직육면체에서 모서리 AB와 수직인 모서리의 개수를 a개, 평행한 모서리의 개수를 b개, 꼬인 위치에 있는 모서리의 개수를 c개라고 할 때, $a+b-c$의 값을 구하시오.

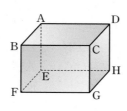

11

오른쪽 그림과 같은 삼각기둥에 대한 다음 설명 중 옳지 않은 것은?

① $\overline{AB} \perp \overline{BE}$
② $\overline{AC} /\!/ \overline{DF}$
③ $\overline{BC}$와 면 ABED는 수직이다.
④ $\overline{AD}$와 면 BEFC는 평행하다.
⑤ 면 ABC와 면 DEF는 평행하다.

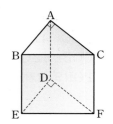

12

다음 그림에서 서로 평행한 직선을 찾아 기호로 나타내시오.

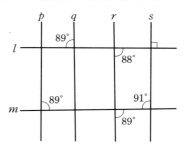

13

오른쪽 그림에서 $\overrightarrow{AB}\,/\!/\,\overrightarrow{CD}$, $\overline{EF}=\overline{FB}$일 때, $\angle x$의 크기를 구하시오.

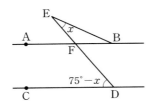

15

오른쪽 그림에서 $\overline{AB}\,/\!/\,\overline{CD}$이고 $\angle ABF=\angle FBE$, $\angle CDF=\angle FDE$, $\angle BFD=50°$ 일 때, $\angle BED$의 크기를 구하시오.

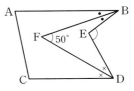

14

오른쪽 그림에서 $l\,/\!/\,m$일 때, $\angle x+\angle y$의 크기를 구하시오.

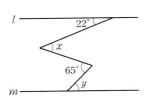

16

오른쪽 그림과 같이 직사각형 모양의 종이 ABCD에서 선분 EF를 접는 선으로 하여 접었더니 $\angle EGF=100°$가 되었다. 이때 $\angle GEF$의 크기를 구하시오.

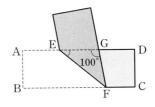

01

오른쪽 그림은 직육면체를 $\overline{AM}=\overline{BN}$이 되도록 자른 것이다. 모서리 NG와 평행한 모서리의 개수를 a개, 수직인 모서리의 개수를 b개, 꼬인 위치에 있는 모서리의 개수를 c개라고 할 때, $a-b+c$의 값을 구하시오.

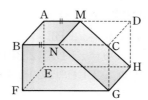

02

서로 다른 5개의 점을 연결하여 만들 수 있는 서로 다른 직선의 개수는 가장 많을 때는 a개이고 가장 적을 때는 b개이다. $a-b$의 값을 구하시오.

03

다음 그림과 같이 한 직선 위에 네 점 A, B, C, D가 있다. $\overline{AB}=3$ cm이고 $\overline{AC}=\overline{BD}$, $2\overline{AD}=5\overline{BC}$일 때, $\overline{BC}$의 길이를 구하시오.

04

오른쪽 그림과 같이 직선 AB 위의 한 점 O를 잡아 ∠AOB를 8등분했을 때, 예각의 개수를 구하시오.

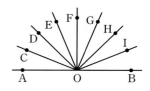

05

오른쪽 그림에서
$\overleftrightarrow{AE}\perp\overrightarrow{OC}$, $\overrightarrow{OB}\perp\overrightarrow{OD}$이다.
$\angle BOC=x°+10°$,
$\angle DOE=y°-x°$이고
$\dfrac{\angle BOC}{\angle COD}=\dfrac{2}{3}$일 때, $x+y$의 값을 구하시오.

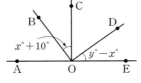

06

오른쪽 그림과 같이 세 직선 AB,
CD, EF가 점 O에서 만나고,
$\angle a : \angle b : \angle c = 3 : 5 : 4$일 때,
$\angle AOD$의 크기를 구하시오.

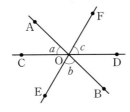

07

오른쪽 그림에서 $l /\!/ m$일 때,
$\angle x$의 크기를 구하시오.

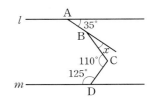

08

다음 중 공간에서 서로 다른 두 직선이 평행한 경우를 모두 고르면? (정답 2개)
① 한 직선에 수직인 두 직선
② 한 직선에 평행한 두 직선
③ 한 평면에 수직인 두 직선
④ 한 평면에 포함된 두 직선
⑤ 한 평면에 평행한 두 직선

09

오른쪽 그림의 전개도로 만든 직육면체에서 $\overline{AE}$와 꼬인 위치에 있는 모서리의 개수를 구하시오.

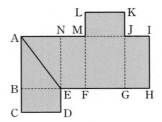

10

오른쪽 그림과 같이 세 직선 AB, CD, EF가 각각 점 G, H, I에서 만난다. ∠GHI의 동위각들의 크기의 합이 215°일 때, ∠GHI의 크기를 구하시오.

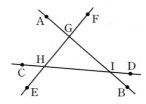

11

다음 그림에서 서로 평행한 직선을 찾아 기호로 나타내시오.

(정답 2개)

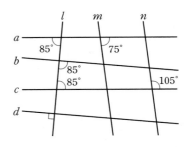

12

오른쪽 그림에서 $a /\!/ b$, $c /\!/ d$일 때, ∠x의 크기를 구하시오.

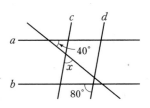

13

오른쪽 그림에서 $l /\!/ m$이고
$\angle x : \angle y = 2 : 3$일 때, $\angle x$의
크기를 구하시오.

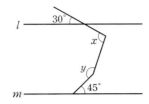

14

직사각형 모양의 종이 ABCD를 다음 그림과 같이 접었다.
$\angle A'EG = 42°$, $\angle GHC = 157°$일 때, $\angle FGI$의 크기를 구하시오.

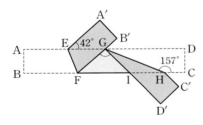

15

다음 그림에서 $l /\!/ m$일 때, $\angle x - \angle y$의 크기를 구하시오.

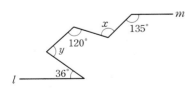

16

직사각형 모양의 종이 ABCD를 다음 그림과 같이 접었다.
$\angle ADB = 34°$일 때, $\angle FGE$의 크기를 구하시오.

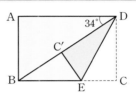

점 C가 $\overline{BD}$ 위에 포개어지도록 접는다.

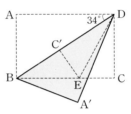

$\overline{BD}$를 접는 선으로 하여 직각삼각형 ABD를 접어 내린다.

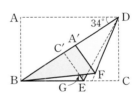

$\overline{A'B}$가 $\overline{BD}$ 위에 포개어지도록 접는다.

01

오른쪽 그림과 같이 △ABC의 내부의 한 점 P를 지나고 삼각형의 각 변에 평행한 세 직선 DE, FG, HI를 그었을 때, ∠C와 크기가 같은 각의 개수를 구하시오. (단, ∠C는 그 개수에서 제외한다.)

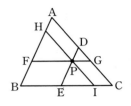

02

오른쪽 그림과 같이 직선 AB 위의 한 점 O에서 $\angle a : \angle b = \angle b : \angle c = \angle c : \angle d = 4 : 3$인 점 X, Y, Z를 잡았을 때, $\dfrac{\angle \text{XOZ}}{\angle \text{AOB}} = \dfrac{q}{p}$이다. $p+q$의 값을 구하시오.

(단, p, q는 서로소인 자연수이다.)

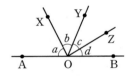

03

오른쪽 그림과 같이 $\overline{\text{AH}} /\!/ \overline{\text{DE}}$이고 $\angle \text{A} = 125°$, $\angle \text{D} = 163°$인 팔각형 ABCDEFGH에서 $\angle \text{B} + \angle \text{C}$의 크기를 구하시오.

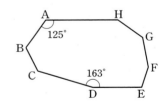

04

오른쪽 그림과 같이 세 점 A, B, C는 평면 P 위에 있고, 세 점 D, E, F는 평면 P 위에 있지 않을 때, 세 개의 점으로 만들 수 있는 서로 다른 평면의 개수는 최대 m개, 최소 n개이다. $m-n$의 값을 구하시오.

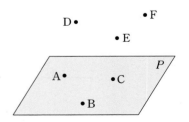

05

오른쪽 그림과 같이 정삼각형 ABC에서 점 A를 지나는 직선 DE와 점 C를 지나는 직선 FG가 평행하고, 직선 FE가 점 B를 지날 때, $\dfrac{\angle AEH}{\angle BCF} = \dfrac{\angle DAB}{\angle AEH} = 2$이다. $\angle BHC$의 크기를 구하시오.

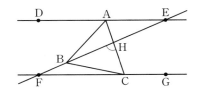

06

직육면체를 어떤 평면으로 잘라내고 남은 입체도형의 전개도가 오른쪽 그림과 같을 때, 이 전개도로 만든 입체도형에서 $\overline{BD}$와 꼬인 위치에 있는 모서리의 개수를 구하시오.

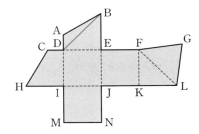

07

직사각형 모양의 종이 ABCD를 다음 그림과 같이 $\overline{EF}$를 접는 선으로 하여 접은 후 $\overline{EF}$가 $\overline{AF}$에 겹쳐지도록 접어 올렸을 때, $\angle AE'H = 54°$이다. $\angle GIF$의 크기를 구하시오.

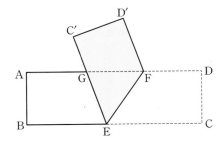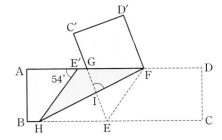

Level ④ 기본 도형

01

다음 그림과 같이 직선 l 위에 점 P_1, P_2, P_3, $\cdots$, P_{100}이 차례로 있을 때, 서로 다른 반직선 P_iP_j의 개수를 a개, 서로 다른 선분 P_iP_j의 개수를 b개라고 할 때, $a+b$의 값을 구하시오.

02

다음 그림과 같이 $\overline{OA}$에서 $3\overline{OA_1}=\overline{OA}$, $3\overline{OA_2}=\overline{OA_1}$, $3\overline{OA_3}=\overline{OA_2}$가 성립하도록 점 A_1, A_2, A_3, $\cdots$을 $\overline{OA}$ 위에 찍었다. $\overline{OA}=2187$일 때, $\overline{A_nA_{n+1}}$의 길이가 처음으로 소수가 되도록 하는 n의 값을 구하시오.

03

식 $y=\dfrac{60}{x}$의 그래프 위의 점 (x, y)가 다음 조건을 만족할 때, 점의 개수를 구하시오.

> (가) x좌표와 y좌표 모두 정수이다.
> (나) 점 (x, y)에서 x축과 y축에 각각 내린 수선의 길이의 차가 소수이다.

04

한 평면 위에 서로 다른 직선의 개수가 a개일 때, 나누어지는 영역의 최대 개수를 $L(a)=b$라고 하면 $L(1)=2$, $L(2)=4$이다. $L(7)$의 값을 구하시오.

05

다음 그림과 같이 모양과 크기가 같은 직각삼각형 6개를 붙이면 $\overline{A_1B_1} \, /\!/ \, \overline{B_6C_6}$이라고 할 때, $\angle B_1A_1C_1$의 크기를 구하시오.

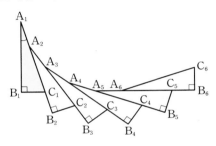

06

오른쪽 그림과 같은 원 모양의 시계가 있다. 4시와 5시 사이에 시침과 분침이 이루는 각이 두 번째로 $65°$가 되는 시각은 처음으로 $65°$가 되고 몇 분 후인지 구하시오.

2 작도와 합동

고난도 대표유형·핵심개념

유형 1   간단한 작도

난이도 ★★

(1) 길이가 같은 선분의 작도

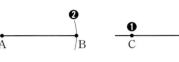

(2) 크기가 같은 각의 작도
⇨ $\overline{OA}=\overline{OB}=\overline{PC}=\overline{PD}$, $\overline{AB}=\overline{CD}$

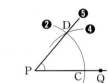

유형 2   평행선의 작도

난이도 ★★

(1) 동위각의 크기가 같을 때

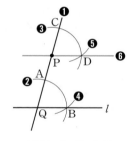

⇨ $\overline{QA}=\overline{QB}=\overline{PC}=\overline{PD}$, $\overline{AB}=\overline{CD}$

(2) 엇각의 크기가 같을 때

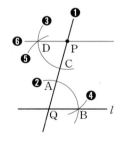

⇨ $\overline{QA}=\overline{QB}=\overline{PC}=\overline{PD}$, $\overline{AB}=\overline{CD}$

유형 3   삼각형의 세 변의 길이 사이의 관계

난이도 ★

삼각형에서 한 변의 길이는 나머지 두 변의 길이의 합보다 작다.
⇨ (가장 긴 변의 길이)＜(다른 두 변의 길이의 합)

유형 4   삼각형이 하나로 정해지는 경우

난이도 ★★

삼각형은 다음 세 가지 경우에 모양과 크기가 하나로 정해진다.
(1) 세 변의 길이가 주어질 때
(2) 두 변의 길이와 그 끼인각의 크기가 주어질 때
(3) 한 변의 길이와 그 양 끝 각의 크기가 주어질 때

난이도
★

(1) **합동** : 한 도형을 그 모양이나 크기를 바꾸지 않고 다른 도형에 완전히 포갤 수 있을 때, 이 두 도형을 합동이라 한다.

(2) **합동인 도형의 성질**

두 삼각형이 합동인 경우, 즉 $\triangle ABC \equiv \triangle DEF$일 때,

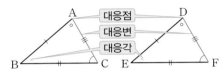

① 대응하는 변의 길이는 서로 같다.
  ⇨ $\overline{AB}=\overline{DE}$, $\overline{BC}=\overline{EF}$, $\overline{CA}=\overline{FD}$
② 대응하는 각의 크기는 서로 같다.
  ⇨ $\angle A=\angle D$, $\angle B=\angle E$, $\angle C=\angle F$

난이도
★★

(1) 대응하는 세 변의 길이가 각각 같을 때
  (SSS 합동)
  ⇨ $\overline{AB}=\overline{DE}$, $\overline{BC}=\overline{EF}$, $\overline{AC}=\overline{DF}$

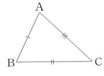
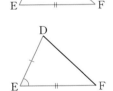

(2) 대응하는 두 변의 길이가 각각 같고,
  그 끼인각의 크기가 같을 때
  (SAS 합동)
  ⇨ $\overline{AB}=\overline{DE}$, $\overline{BC}=\overline{EF}$, $\angle B=\angle E$

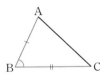
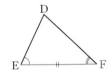

(3) 대응하는 한 변의 길이가 같고,
  그 양 끝 각의 크기가 각각 같을 때
  (ASA 합동)
  ⇨ $\overline{BC}=\overline{EF}$, $\angle B=\angle E$, $\angle C=\angle F$

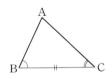

난이도
★★★

(1) 주어진 조건과 그림에서 두 삼각형이 합동이 되는 조건 (SSS 합동, SAS 합동, ASA 합동)을 찾아본다.
(2) 정삼각형이 주어진 경우 세 변의 길이가 같고, 세 각의 크기가 모두 같음을 이용한다.
(3) 정사각형이 주어진 경우 네 변의 길이가 같고, 네 각의 크기가 모두 같음을 이용한다.

---

① 등급 노트

TIP

기호 ≡을 사용하여 합동인 두 도형을 나타낼 때, 대응하는 점의 순서대로 나타내므로 대응하는 각과 대응하는 변을 확인할 수 있다.

예시

한 변의 길이가 같은 두 정다각형, 반지름의 길이가 같은 두 원, 넓이가 같은 두 원은 항상 합동이다.

➕플러스 개념

두 삼각형이 합동이 되려면

(1) 대응하는 두 변의 길이가 각각 같을 때 ⇨ 나머지 한 변의 길이 또는 그 끼인각의 크기가 같으면 합동이다.
(2) 대응하는 한 변의 길이와 그 양 끝 각 중 한 각의 크기가 같을 때 ⇨ 그 각을 끼인각으로 하는 다른 한 변의 길이 또는 다른 한 각의 크기가 같으면 합동이다.
(3) 대응하는 두 각의 크기가 각각 같을 때 ⇨ 두 각을 양 끝 각으로 하는 한 변의 길이가 같으면 합동이다.

01

자와 컴퍼스만으로 작도할 수 없는 각은?

① 90°   ② 60°   ③ 45°

④ 15°   ⑤ 10°

02

아래 그림은 세 점 A, B, C를 꼭짓점으로 하는 평행사변형 ABCD의 나머지 한 꼭짓점 D를 작도하는 과정을 나타낸 것이다. 다음 중 옳지 않은 것은?

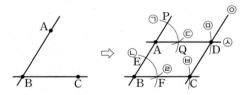

① $\overline{BE}=\overline{AP}$

② $\overline{BC}=\overline{CD}$

③ $\angle PAQ=\angle EBF$

④ 작도 순서는 ⓒ－㉠－㉣－ⓒ－㉅－ⓗ－㉫－ⓞ이다.

⑤ 동위각의 크기가 같으면 두 직선이 평행함을 이용한 작도이다.

03

오른쪽 그림과 같이 ∠A＝80°인 △ABC에서 작도하여 △PBC를 그렸을 때, ∠BPC의 크기를 구하시오.

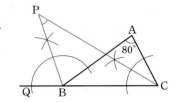

04

삼각형의 세 변의 길이가 x cm, 7 cm, 5 cm일 때, x의 값이 될 수 있는 자연수의 개수를 구하시오.

05

$\overline{AC}=8$ cm, ∠C$=50°$가 주어졌을 때, 다음 중 한 가지 조건을 추가하면 △ABC가 하나로 작도된다. 이때, 필요한 조건을 모두 고르면? (정답 3개)

① ∠A$=85°$ ② ∠A$=130°$
③ ∠B$=55°$ ④ $\overline{AB}=7$ cm
⑤ $\overline{BC}=5$ cm

06

다음 중 △ABC가 하나로 결정되는 것을 모두 고르면?
(정답 2개)

① $\overline{AB}=5$ cm, $\overline{BC}=4$ cm, $\overline{CA}=10$ cm
② $\overline{AB}=4$ cm, $\overline{AC}=7$ cm, ∠A$=60°$
③ $\overline{AB}=6$ cm, $\overline{BC}=8$ cm, ∠C$=45°$
④ $\overline{BC}=9$ cm, ∠B$=40°$, ∠C$=45°$
⑤ ∠A$=50°$, ∠B$=60°$, ∠C$=70°$

07

다음 중 두 도형이 항상 합동이라고 할 수 있는 것을 모두 고르면? (정답 2개)

① 원주가 같은 두 원
② 넓이가 같은 두 직사각형
③ 한 변의 길이가 같은 두 마름모
④ 반지름의 길이가 같은 두 부채꼴
⑤ 한 변의 길이가 같은 두 정삼각형

08

다음 그림에서 $\overline{BC}=\overline{EF}$, ∠C$=$∠F이다. 한 가지 조건을 추가하여 △ABC≡△DEF가 되도록 하려고 할 때, 필요한 조건을 모두 고르면? (정답 2개)

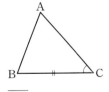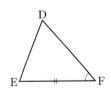

① $\overline{AB}=\overline{DE}$ ② $\overline{AC}=\overline{DF}$
③ $\overline{AB}=\overline{DF}$ ④ ∠A$=$∠E
⑤ ∠B$=$∠E

09

다음 그림에서 $\overline{AB}=\overline{AC}=6$ cm, $\overline{BE}=4$ cm이고
$\angle ABE=\angle ACD=\angle BAC$일 때, $\overline{BD}$의 길이를 구하시오.

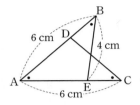

11

오른쪽 그림에서 세 점 B, E, D는
한 직선 위에 있고, △ABC와
△CDE가 정삼각형일 때, 다음 중
옳은 것을 모두 고르면? (정답 2개)

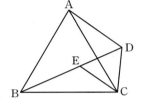

① $\angle ACD=\angle BCE$
② $\overline{AD}=\overline{BE}$
③ $\angle ADB=\angle CDB$
④ $\overline{BD}\perp\overline{AC}$
⑤ $\overline{AB}\,/\!/\,\overline{DC}$

10

오른쪽 그림은 선분 AB 위의
점 C에 대하여 $\overline{AC}$, $\overline{CB}$를 각
각 한 변으로 하는 정삼각형
DAC, ECB를 그린 것이다.
$\overline{BD}$와 $\overline{AE}$의 교점을 P라 할
때, 다음 중 옳지 않은 것은?

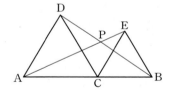

① $\angle ACE=\angle DCB$
② $\angle DAE=\angle DBE$
③ $\triangle ACE\equiv\triangle DCB$
④ $\angle APD=60\degree$
⑤ $\angle APB=120\degree$

12

오른쪽 그림에서 △ABC는 정삼
각형이고 $\overline{AD}=\overline{BE}=\overline{CF}$일 때,
다음 중 옳지 않은 것은?

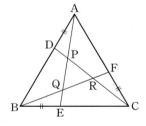

① $\angle BDC=90\degree$
② $\angle QBE+\angle BCR=60\degree$
③ △PQR는 정삼각형이다.
④ $\angle ABQ=\angle BCR=\angle CAP$
⑤ $\triangle ABE\equiv\triangle BCF\equiv\triangle CAD$

13

오른쪽 그림에서 $\overleftrightarrow{PQ}$는 $\overline{AB}$의 수직이등분선일 때, 보기 중 옳은 것을 모두 고른 것은?

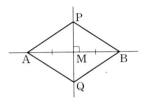

┤보기├

ㄱ. $\triangle APM \equiv \triangle BPM$ ㄴ. $\triangle APM \equiv \triangle AQM$

ㄷ. $\triangle AQM \equiv \triangle BQM$ ㄹ. $\triangle APQ \equiv \triangle BPQ$

ㅁ. $\triangle ABP \equiv \triangle ABQ$

① ㄱ, ㄴ, ㄷ   ② ㄱ, ㄷ, ㄹ

③ ㄱ, ㄷ, ㅁ   ④ ㄴ, ㄷ, ㄹ

⑤ ㄴ, ㄹ, ㅁ

14

오른쪽 그림과 같이 $\overline{AB}=\overline{DC}$, $\overline{AC}=\overline{DB}$이고, $\overline{AD} /\!/ \overline{BC}$인 사각형 ABCD에서 $\overline{AC}$와 $\overline{BD}$의 교점을 E라고 할 때, 합동인 삼각형은 모두 몇 쌍인지 구하시오.

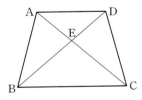

15

오른쪽 그림에서 사각형 ABCD는 정사각형이고 $\overline{BE}=\overline{CF}$일 때, 다음 중 옳지 않은 것은?

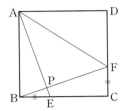

① $\angle BAE = \angle CBF$

② $\angle APB = 90°$

③ $\overline{AE}=\overline{BF}$

④ $\triangle AFP \equiv \triangle AFD$

⑤ $\triangle ABE \equiv \triangle BCF$

16

오른쪽 그림과 같이 한 변의 길이가 20 cm인 정사각형 ABCD에서 $\overline{BE}=25$ cm, $\overline{BF}=12$ cm, $\overline{CF}=16$ cm이고 $\angle AGE = \angle BFC = 90°$일 때, $\overline{EG}$의 길이를 구하시오.

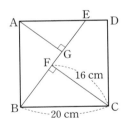

01

길이가 보기와 같은 선분 5개 중 3개의 선분을 골라서 만들 수 있는 삼각형의 개수를 구하시오.

┤보기├

3 cm, 4 cm, 5 cm, 6 cm, 8 cm

02

삼각형의 세 변의 길이가 $x-3$, $x+2$, $x+5$일 때, x의 값이 될 수 없는 것은?

① 6   ② 7   ③ 8
④ 9   ⑤ 10

03

한 변의 길이 6 cm와 두 각의 크기 30°, 50°가 주어졌을 때 작도할 수 있는 삼각형의 개수를 a개, 두 변의 길이 7 cm, 5 cm와 한 각의 크기 40°가 주어졌을 때 작도할 수 있는 삼각형의 개수를 b개라고 할 때, $a+b$의 값을 구하시오.

04

△ABC에서 $\overline{AB}=8$ cm, $\overline{BC}=5$ cm일 때, △ABC가 하나로 정해지기 위해 필요한 나머지 한 조건은? (정답 2개)

① ∠A=35°   ② ∠B=80°
③ ∠C=40°   ④ $\overline{AC}=3$ cm
⑤ $\overline{AC}=4$ cm

05

다음 보기에서 두 도형이 항상 합동인 경우를 모두 고르시오.

┌─ 보기 ┐
ㄱ. 넓이가 같은 두 원
ㄴ. 넓이가 같은 두 직각삼각형
ㄷ. 둘레의 길이가 같은 두 정삼각형
ㄹ. 둘레의 길이가 같은 두 직사각형
ㅁ. 반지름의 길이가 같은 두 부채꼴
ㅂ. 한 변의 길이가 같은 두 정오각형
└─────────────────────────────┘

07

오른쪽 그림과 같이 ∠A=90°
인 △ABC에서 ∠C의 이등분
선과 $\overline{BC}$의 수직이등분선이
$\overline{AB}$ 위의 점 D에서 만날 때,
∠x의 크기를 구하시오.

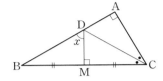

06

오른쪽 그림과 같이 평행사변형
ABCD에서 $\overline{AE}=\overline{ED}$이고, $\overline{AB}$
의 연장선과 $\overline{CE}$의 연장선의 교점
을 F, $\overline{BD}$와 $\overline{FC}$의 교점을 G라
할 때, △AEF와 합동인 삼각형
은?

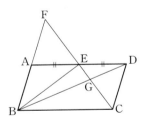

① △ABE   ② △ABD   ③ △BCG
④ △DEC   ⑤ △DCG

08

오른쪽 그림과 같이
∠A=∠B=90°이고
$\overline{AB}$=4 cm인 사다리꼴
ABCD에서 변 BC의 연장선
위의 한 점을 E, $\overline{AE}$와 $\overline{CD}$의
교점을 F라 하자. $\overline{AF}=\overline{EF}$이고 $\overline{BE}$=8 cm일 때, 사다리꼴
ABCD의 넓이를 구하시오.

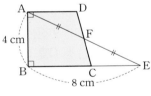

09

오른쪽 그림과 같이 $\overline{AB}$ 위의
한 점 C에서 정삼각형 ACD
와 정삼각형 CBE를 그린다.
$\overline{AE}$와 $\overline{CD}$의 교점을 F라 하
고 $\overline{CE}$와 $\overline{DB}$의 교점을 G라
고 할 때, ∠EFC+∠DGC의 크기를 구하시오.

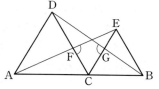

11

오른쪽 그림과 같이 정사각형
ABCD에서 $\overline{BE}=\overline{CF}$일 때,
$\angle x + \angle y$의 크기를 구하시오.

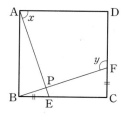

10

오른쪽 그림과 같이
$\overline{AB}=7$ cm인 정삼각형
ABC의 변 BC의 연장선 위에
$\overline{CD}=5$ cm인 점 D를 잡고,
$\overline{AD}=11$ cm를 한 변으로 하는
정삼각형 DAE를 그릴 때, $\overline{CE}$
의 길이를 구하시오.

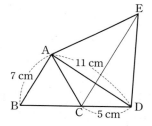

12

오른쪽 그림과 같이 ∠A=∠B=90°인
사다리꼴 ABCD에서 $\overline{EC}=\overline{ED}$인 $\overline{AB}$
위의 점 E에 대하여 ∠CED=90°이다.
$\overline{AD}=6$ cm, $\overline{BC}=10$ cm일 때,
△CDE의 넓이를 구하시오.

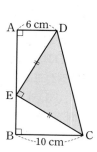

13

오른쪽 그림과 같이 □ABCD
는 한 변의 길이가 8 cm인 정사
각형이고, $\overline{AC}$와 $\overline{BD}$의 교점을
O라고 하자. 한 변의 길이가
9 cm인 정사각형 OEFG를
그려 □ABCD와 만나는 점을
각각 H, I라고 할 때, 사각형
OHCI의 넓이를 구하시오.

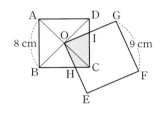

15

다음 그림은 세 변의 길이가 다른 삼각형 ABC에서 $\overline{AB}$와
$\overline{AC}$를 각각 한 변으로 하는 정사각형 ADEB와 정사각형
ACFG를 그린 것이다. $\overline{CD}$와 $\overline{BG}$의 교점을 P라고 할 때,
∠BPC의 크기를 구하시오.

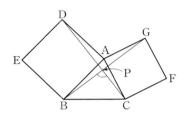

14

오른쪽 그림과 같이 □ABCD와
□EFGC는 정사각형이고
∠ABG=65°, ∠BCG=40°일
때, ∠DEF의 크기를 구하시오.

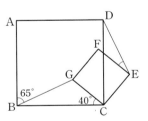

16

오른쪽 그림과 같이 정사각형
ABCD에서 대각선 BD 위의 한
점 E와 점 A를 지나는 직선이 선
분 BC의 연장선과 만나는 점을 F
라 하자. ∠CFE=35°일 때,
∠BEC의 크기를 구하시오.

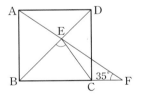

01

오른쪽 그림과 같이 $\overline{AB}$, $\overline{BC}$에서 $\overline{AP}=\overline{BP}=\overline{AQ}=\overline{BQ}$, $\overline{BR}=\overline{CR}=\overline{BS}=\overline{CS}$가 되도록 작도했을 때, $\overline{AB}$와 $\overline{PQ}$의 교점을 M, $\overline{BC}$와 $\overline{RS}$의 교점을 N, $\overline{PQ}$와 $\overline{RS}$의 연장선의 교점을 O라고 하자. $\angle ABC=135°$일 때, $\angle AOM+\angle CON$의 크기를 구하시오.

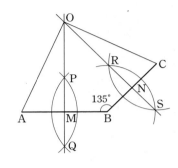

02

오른쪽 그림에서 △BPC, △CQA, △ARB는 크기가 서로 다른 정삼각형이다. 세 선분 AP, BQ, RC의 길이의 비를 가장 간단한 자연수의 비로 나타내면 $a:b:c$일 때, $a+b+c$의 값을 구하시오.

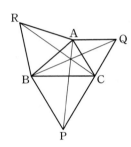

03

오른쪽 그림과 같이 $\overline{AB}=8\,cm$, $\overline{BC}=11\,cm$, $\overline{CA}=5\,cm$인 △ABC에서 각 변을 한 변으로 하는 정삼각형 DBA, EBC, FAC를 그렸을 때, □AFED의 둘레의 길이를 구하시오.

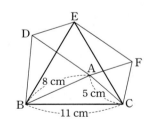

04

오른쪽 그림과 같이 직사각형 ABCD를 대각선 AC를 접는 선으로 하여 접었다. $\overline{AB}=6\,cm$, $\overline{BC}=8\,cm$, $\overline{AC}=10\,cm$일 때, △AEF의 둘레의 길이를 구하시오.

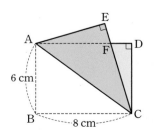

05

△ABC와 △DEF는 서로 합동인 직각이등변삼각형이고, $\overline{AF}=\overline{BF}$가 되도록 두 삼각형이 겹쳐져 있을 때, $\overline{BC}$와 $\overline{FD}$의 교점을 G, $\overline{AC}$와 $\overline{FE}$의 교점을 H라고 하자. $\overline{BC}=6$ cm일 때, □FGCH의 넓이를 구하시오.

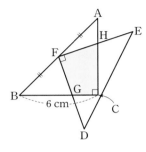

06

오른쪽 그림과 같이 $\overline{AB}=3$ cm, $\overline{BC}=12$ cm인 직사각형 ABCD에서 $\overline{AF}=\overline{AE}$, $\overline{CD}=\overline{CE}$, ∠FAE=90°인 직각삼각형 AEF, CDE를 그렸을 때, 점 F에서 $\overline{AD}$까지의 거리를 구하시오.

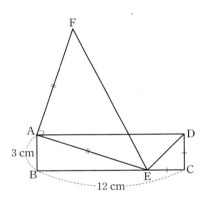

07

오른쪽 그림과 같이 한 변의 길이가 12 cm인 정사각형 ABCD와 한 변의 길이가 10 cm인 정사각형 AFGE에서 점 D가 변 FG 위에 오도록 겹쳤을 때, △ABF의 넓이를 구하시오.

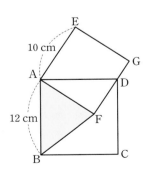

01

오른쪽 그림과 같이 정삼각형 ABC에서 세 변 AB, BC, CA의 수직이등분선의 교점을 O라 하면 △OAB, △OBC, △OCA는 모두 이등변삼각형이다. 이와 같이 △O'AB, △O'BC, △O'CA 가 모두 이등변삼각형이 되도록 하는 △ABC의 외부에 있는 점 O'의 개수를 구하시오.

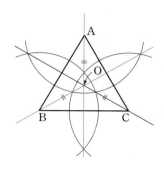

02

세 변의 길이가 자연수이고, 세 변의 길이의 합이 27인 삼각형을 만들려고 한다. 만들 수 있는 삼각형의 개수를 구하시오.

03

오른쪽 그림과 같이 △ABC의 내부의 한 점 P에서 꼭짓점 A, B, C를 연결하면 ∠PAC=∠PCA=14°, ∠PBC=16°, ∠PCB=30°이다. 이때 ∠ABP의 크기를 구하시오.

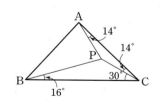

04

오른쪽 그림과 같이 점 O를 원의 중심, $\overline{A_0A_n}$을 지름으로 하는 반원 위에
$\triangle OA_0A_1 \equiv \triangle OA_1A_2 \equiv \triangle OA_2A_3 \equiv \cdots \equiv \triangle OA_{n-1}A_n$이 되도록 점 A_1, A_2, A_3, $\cdots$, A_{n-1}을 정했을 때, $\angle A_{n-1}A_1A_{n-2}=6°$가 되는 자연수 n의 값을 구하시오. (단, $n \geq 5$)

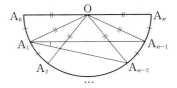

05

오른쪽 그림과 같이 $\overline{AB}=5$ cm, $\overline{BC}=8$ cm인 직사각형 모양의 종이 ABCD에서 점 A가 $\overline{BC}$ 위의 점 A′에 오도록 접은 후 점 C가 $\overline{DA'}$ 위의 점 C′에 오도록 접었을 때, □A′FDE의 넓이를 구하시오.

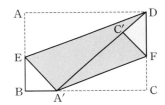

06

오른쪽 그림과 같이 $\overline{AB}=\overline{CD}=\overline{EA}=\overline{BC}+\overline{DE}=5$ cm이고 $\angle ABC=\angle AED=90°$인 오각형 ABCDE의 넓이를 구하시오.

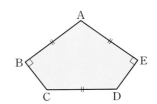

01

다음 그림과 같이 $\overline{AP} : \overline{PB} = 2 : 3$, $\overline{AQ} : \overline{QB} = 4 : 3$인 선분 AB에서 점 M이 $\overline{PQ}$의 중점일 때, $\overline{AM} : \overline{MB}$를 가장 간단한 자연수의 비로 나타내시오.

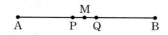

02

오른쪽 그림과 같이 직육면체의 세 모서리의 중점을 지나는 평면으로 자른 입체도형에서 모서리 HI와 꼬인 위치에 있는 모서리의 개수를 a개, 면 ABHG와 평행한 모서리의 개수를 b개라고 할 때, $a+b$의 값을 구하시오.

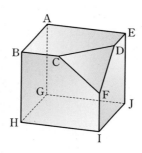

03

오른쪽 그림과 같이 $\overleftrightarrow{AB}$, $\overleftrightarrow{CD}$, $\overleftrightarrow{EF}$가 한 점 O에서 만나고 $\overleftrightarrow{AB} \perp \overleftrightarrow{OG}$, $\overleftrightarrow{CD} \perp \overleftrightarrow{EF}$이다. $\angle FOB = 3\angle x + 20°$일 때, $\angle x$의 크기는?

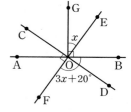

① 32°　　② 33°

③ 34°　　④ 35°

⑤ 36°

04

오른쪽 그림과 같이 $l /\!/ m$일 때, $\angle x$의 크기를 구하시오.

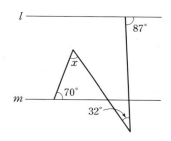

05

다음 그림과 같이 △ABC와 △DEF에서 $\overline{BC}=\overline{EF}$이고 ∠B=∠E일 때, △ABC≡△DEF가 되기 위하여 필요한 조건은?

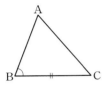

① $\overline{AB}=\overline{DF}$　　② $\overline{AC}=\overline{DE}$　　③ $\overline{AC}=\overline{DF}$

④ ∠A=∠F　　⑤ ∠C=∠F

06

오른쪽 그림과 같이 $\overline{AD}$∥$\overline{BC}$ 인 사다리꼴 ABCD에서 $\overline{CD}$의 중점이 M이고, □ABCD=42 cm²일 때, △ABM의 넓이를 구하시오.

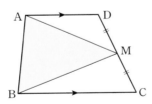

07

오른쪽 그림과 같이 정사각형 ABCD에서 $\overline{BC}$, $\overline{CD}$ 위에 ∠EAF=45°, $\overline{BE}=6$ cm, $\overline{DF}=8$ cm가 되도록 두 점 E, F를 잡을 때, $\overline{EF}$의 길이를 구하시오.

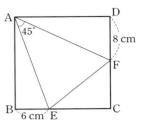

08

오른쪽 그림과 같이 정삼각형 ABC에서 $\overline{BC}=\overline{CD}$, ∠BCD=90°인 점을 D라 하고 ∠BCE=∠DCE, $\overline{AE}=\overline{CE}$인 점을 E라고 하자. $\overline{AC}$와 $\overline{DE}$의 교점을 G라고 할 때, ∠AGD의 크기를 구하시오.

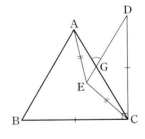

3 다각형의 성질

고난도 대표유형·핵심개념

유형 1 다각형과 정다각형

난이도 ★

(1) **다각형** : 세 개 이상의 선분으로 둘러싸인 평면도형
   ① 변 : 다각형을 이루는 선분
   ② 꼭짓점 : 각 변의 끝점

(2) **다각형의 내각과 외각**
   ① 한 꼭짓점에서 외각은 두 개이고 맞꼭지각이므로 그 크기가 같다. 따라서 외각은 하나만 생각한다.
   ② 다각형의 한 꼭짓점에서 내각과 외각의 크기의 합은 180°이다.

(3) **정다각형** : 모든 변의 길이가 같고, 모든 내각의 크기가 같은 다각형

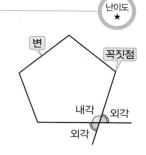

유형 2 다각형의 대각선

난이도 ★★

(1) **대각선** : 다각형에서 이웃하지 않는 두 꼭짓점을 이은 선분

(2) **대각선의 개수**
   ① n각형의 한 꼭짓점에서 그을 수 있는 대각선의 개수 :
      $(n-3)$개 (단, $n \geq 4$)
   ② n각형의 한 꼭짓점에서 대각선을 모두 그었을 때, 만들어지는 삼각형의 개수 : $(n-2)$개

   ③ n각형의 대각선의 개수 : $\dfrac{n(n-3)}{2}$개 (단, $n \geq 4$)

   ┌ n각형의 꼭짓점의 개수
   └ 한 꼭짓점에서 그을 수 있는 대각선의 개수
   └ 한 대각선을 2번 세어 중복되므로 2로 나눈다.

유형 3 삼각형의 내각과 외각

난이도 ★

(1) 삼각형의 세 내각의 크기의 합은 180°이다.
   ⇨ △ABC에서 ∠A+∠B+∠C=180°

(2) 삼각형의 한 외각의 크기는 그와 이웃하지 않는 두 내각의 크기의 합과 같다.
   ⇨ ∠ACD=∠A+∠B

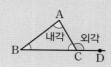

삼각형의 내각과 외각의 크기의 활용 | 유형 4

$\angle x = \dfrac{1}{2}\angle a + 90°$	$\angle x = \angle a + \angle b + \angle c$	$\angle x = \dfrac{1}{2}\angle a$
$\angle x = 90° - \dfrac{1}{2}\angle B$	$\angle a + \angle b + \angle c + \angle d + \angle e = 180°$	

TIP

보조선을 그어 삼각형의 외각의 크기를 구한다.

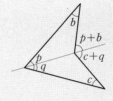

다각형의 내각과 외각의 크기의 합 | 유형 5

(1) **n각형의 내각의 크기의 합** : $180° \times (n-2)$

(2) **n각형의 외각의 크기의 합** : $360°$

(3) **정n각형의 한 내각의 크기** : $\dfrac{180° \times (n-2)}{n}$

(4) **정n각형의 한 외각의 크기** : $\dfrac{360°}{n}$

➕ 플러스 개념

(1) 정n각형은 모든 내각의 크기와 모든 외각의 크기가 각각 같으므로 한 내각 또는 한 외각의 크기를 구할 때에는 그 합을 n으로 나누어 각각 구한다.

(2) 정다각형에서
(한 내각의 크기) : (한 외각의 크기)$=a:b$이면
(한 내각의 크기)
$=180° \times \dfrac{a}{a+b}$
(한 외각의 크기)
$=180° \times \dfrac{b}{a+b}$

복잡한 도형에서 각의 크기 구하기 | 유형 6

(1) **맞꼭지각의 성질 이용하기**

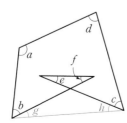

$\angle e + \angle f = \angle g + \angle h$이므로
$\angle a + \angle b + \angle c + \angle d + \angle e + \angle f$
$=360°$

(2) **삼각형의 내각과 외각의 관계 이용하기**

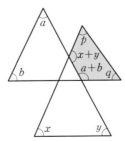

$\angle a + \angle b + \angle x + \angle y + \angle p + \angle q$
$=360°$

01

오른쪽 그림과 같이 합동인 정삼각형으로 이루어진 도형에서 찾을 수 있는 크고 작은 정다각형의 개수를 구하시오.

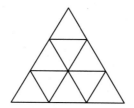

02

다각형에 대한 다음 설명 중 옳지 <u>않은</u> 것을 모두 고르면?
(정답 2개)

① 한 다각형에서 꼭짓점의 개수와 변의 개수는 항상 같다.
② 다각형의 한 꼭짓점에서의 외각은 2개이고, 그 크기의 합은 180°이다.
③ 세 변의 길이가 같은 삼각형은 정삼각형이다.
④ 다각형의 모든 변의 길이가 같으면 모든 내각의 크기도 같다.
⑤ 다각형의 한 꼭짓점에서 내각의 크기가 커질수록 외각의 크기는 작아진다.

03

삼각형의 세 내각의 크기의 비가 $1 : 3 : 5$일 때, 이 삼각형의 세 외각 중에서 크기가 가장 큰 외각의 크기를 구하시오.

04

어떤 다각형의 내부의 한 점에서 각 꼭짓점으로 선분을 그으면 다각형은 모두 8개의 삼각형으로 나누어진다. 이 다각형의 꼭짓점의 개수를 a개, 한 꼭짓점에서 그을 수 있는 대각선의 개수를 b개라고 할 때, $a+b$의 값을 구하시오.

05

다음 조건을 모두 만족하는 다각형을 구하시오.

(가) 모든 변의 길이가 같다.
(나) 모든 내각의 크기가 같다.
(다) 대각선의 개수는 27개이다.

07

오른쪽 그림에서 ∠ACB의 크기를 구하시오.

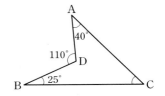

06

다음 그림에서 $\overline{OA}=\overline{AB}=\overline{BC}=\overline{CD}=\overline{DE}$이고 ∠EDF=105°일 때, ∠BCD의 크기를 구하시오.

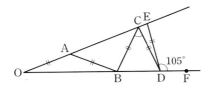

08

오른쪽 그림과 같이 $\overline{AB}=\overline{BC}$이고 ∠B=90°인 △ABC에서 ∠B의 이등분선과 ∠C의 외각의 이등분선의 교점을 D라고 할 때, ∠CDB의 크기를 구하시오.

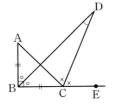

09

오른쪽 그림과 같이 △ABC에서 ∠A의 외각의 이등분선과 ∠C의 외각의 이등분선의 교점을 F라고 하자. ∠AFC=54°일 때, ∠ABC의 크기를 구하시오.

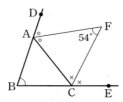

10

다음 그림에서 $\angle a + \angle b + \angle c + \angle d + \angle e + \angle f$의 크기를 구하시오.

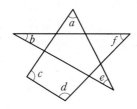

11

오른쪽 그림에서 $\angle x$의 크기를 구하시오.

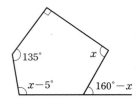

12

내각의 크기의 합이 1440°인 다각형의 대각선의 개수를 구하시오.

13

오른쪽 그림에서 ∠x의 크기를
구하시오.

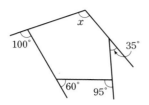

14

다음 그림에서 ∠A+∠B+∠C+∠D+∠E+∠F의 크기
를 구하시오.

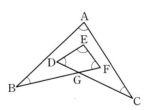

15

다음 그림과 같이 정오각형 ABCDE에서 $\overline{AB}$와 $\overline{CD}$의 연장
선의 교점을 F, $\overline{AC}$와 $\overline{BE}$의 교점을 G라고 하자.

이때 $\dfrac{\angle CGE}{\angle BFC}$의 값을 구하시오.

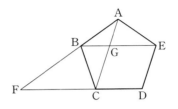

16

다음 그림과 같이 한 변의 길이가 같은 정팔각형과 정육각형을
붙여 놓았을 때, ∠x-∠y의 크기를 구하시오.

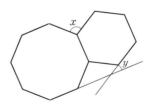

01

다음 그림과 같이 가로, 세로의 간격이 일정한 점 15개 중 네 개를 연결하여 만들 수 있는 정사각형의 개수를 구하시오.

02

n각형의 꼭짓점의 개수를 a개, 변의 개수를 b개, 한 꼭짓점에서 그을 수 있는 대각선의 개수를 c개라고 할 때, $a+b+c=30$이 되었다. 이때 n의 값을 구하시오.

03

오른쪽 그림과 같이 6명이 원탁에 둘러 앉아 있다. 6명의 사람이 모든 사람과 서로 한 번씩 악수를 할 때, 악수는 모두 몇 번 이루어지는지 구하시오.

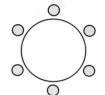

04

오른쪽 그림의 삼각형 ABC에서 $\overline{AB}=\overline{AD}$, $\overline{CB}=\overline{CE}$이다. $\angle EBD=\angle x$, $\angle DBC=\angle y$라고 할 때, $\angle A = a\angle x + b\angle y - c°$이다. $a+b+c$의 값을 구하시오.

(단, a, b, c는 정수이다.)

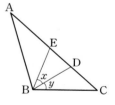

05

오른쪽 그림과 같이 삼각형
ABC에서 ∠B의 이등분선과
∠C의 외각의 이등분선의 교점을
E라고 하자. ∠A=76°일 때,
∠BEC의 크기를 구하시오.

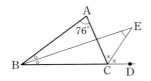

07

오른쪽 그림에서 $\overline{AF}=\overline{AJ}$,
$\overline{DH}=\overline{DI}$, ∠BGF=80°일 때,
∠x+∠y의 크기를 구하시오.

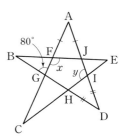

06

오른쪽 그림에서 ∠ADC의 크기를
구하시오.

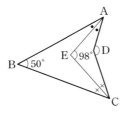

08

어떤 다각형의 모든 꼭짓점에서의 내각의 크기와 외각의 크기
의 합이 2160°일 때, 이 다각형의 대각선의 개수를 구하시오.

09

한 꼭짓점에서 그을 수 있는 대각선의 개수가 구각형의 대각선의 개수와 같은 정다각형의 한 내각의 크기를 구하시오.

11

다음 그림과 같이 팔각형의 각 꼭짓점에서 8개의 대각선을 그었을 때, 색칠한 각의 크기의 합을 구하시오.

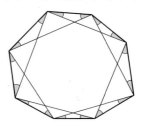

10

오른쪽 그림과 같이 오각형 ABCDE에서 ∠A와 ∠B의 내각의 이등분선의 교점을 F라 할 때, ∠AFB의 크기를 구하시오.

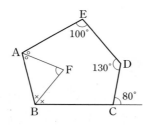

12

다음 그림과 같이 오각형의 모든 대각선을 그었을 때, $\angle a + \angle b + \angle c + \angle d + \angle e + \angle f$의 크기를 구하시오.

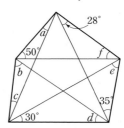

13

다음 그림에서 $\angle a + \angle b + \angle c + \angle d + \angle e + \angle f + \angle g + \angle h$ 의 크기를 구하시오.

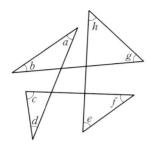

15

오른쪽 그림의 정오각형 ABCDE에 대한 다음 설명 중 옳지 <u>않은</u> 것은?

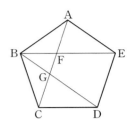

① $\overline{CD} /\!/ \overline{BE}$

② $\angle AFE = 70°$

③ $\triangle CDG \equiv \triangle AEF$

④ 한 외각의 크기는 $72°$이다.

⑤ $\triangle ABF$는 이등변삼각형이다.

14

오른쪽 그림과 같이 정오각형 ABCDE에서 $\overline{BC}$를 한 변으로 하는 정사각형 BCGF와 $\overline{AE}$를 한 변으로 하는 정삼각형 AHE를 그렸을 때, $\angle AIF$의 크기를 구하시오.

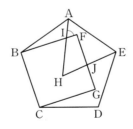

16

다음 조건을 모두 만족하는 다각형을 구하시오.

(가) 변의 길이가 모두 같고, 외각의 크기가 모두 같다.
(나) 한 외각의 크기와 한 내각의 크기의 비가 2 : 7이다.

01

오른쪽 그림과 같이 한 변의 길이가 4인 마름모 ABCD를 일정한 간격으로 나누어 한 변의 길이가 1인 정삼각형을 만들었을 때, 이 정삼각형을 이용하여 만들 수 있는 정삼각형의 개수를 구하시오.

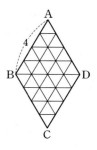

02

정십사각형의 한 꼭짓점에서 그을 수 있는 대각선 중 길이가 서로 다른 대각선의 개수를 a개, 대각선의 총 개수를 b개라고 할 때, $a+b$의 값을 구하시오.

03

오른쪽 그림과 같이 △ABC와 △DBE에서 ∠A와 ∠E의 내각의 이등분선의 교점을 G라고 하자. ∠ACB=86°, ∠BDE=92°일 때, ∠AGE의 크기를 구하시오.

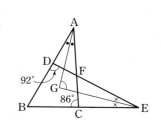

04

오른쪽 그림과 같이 일부가 찢어진 다각형의 한 꼭짓점에서 그은 대각선의 개수가 6개일 때 이 다각형의 내각의 크기의 합을 구하시오.

05

어떤 다각형의 한 꼭짓점에서 2개의 대각선을 그었더니 삼각형, 사각형, 오각형으로 나누어졌다. 이 다각형의 내각의 크기의 합을 구하시오.

06

오른쪽 그림에서 $\angle A + \angle B + \angle C + \angle D + \angle E + \angle F + \angle G + \angle H + \angle I + \angle J + \angle K$의 크기를 구하시오.

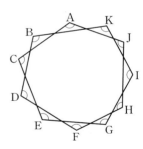

07

오른쪽 그림과 같은 정팔각형 ABCDEFGH에서 세 꼭짓점을 이어 만든 다각형이 이등변삼각형이 될 때, 이 이등변삼각형의 개수를 구하시오.

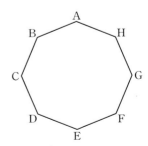

01

오른쪽 그림과 같이 꼭짓점을 A_1, A_2, A_3, $\cdots$, A_{2n}, A_{2n+1}이라고 할 때, 대각선 A_1A_{n+1}과 만나지 않는 대각선의 개수를 n을 이용하여 나타내시오. (단, $n \geq 2$)

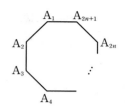

02

오른쪽 그림에서 $\angle BAF$의 크기를 구하시오.

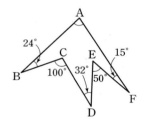

03

3개의 다각형이 있다. 세 다각형의 한 꼭짓점에서 그은 대각선의 개수의 비가 $2:3:5$이고, 세 다각형의 내각의 크기의 합이 $4140°$일 때, 세 다각형의 꼭짓점의 개수의 합을 구하시오.

04

정다각형의 한 내각의 크기를 $x°$라고 할 때, x가 자연수가 되는 정다각형의 꼭짓점의 개수를 n개라고 하자. 이때, 자연수 n의 개수를 구하시오.

05

오른쪽 그림과 같이 평행한 두 직선 l, m 위에 두 꼭짓점 A, D가 있는 정오각형 ABCDE에 대하여 ∠CDF : ∠GAE=1 : 4일 때, ∠EDF의 크기를 구하시오.

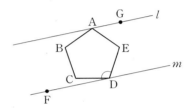

06

다음 그림과 같이 [도형 1]에서 바깥쪽의 각이 ∠a, ∠b, ∠c, ∠d로 4개, 도형 안쪽의 각이 ∠e, ∠f로 2개일 때, $P(4, 2)=$∠$a+$∠$b+$∠$c+$∠$d+$∠$e+$∠f라 하고 [도형 2]에서 바깥쪽의 각이 ∠a, ∠b, ∠c, ∠d, ∠e로 5개, 도형 안쪽의 각이 ∠f, ∠g, ∠h로 3개일 때, $P(5, 3)=$∠$a+$∠$b+$∠$c+$∠$d+$∠$e+$∠$f+$∠$g+$∠h라고 하자. $P(10, 4)$의 값을 구하시오.

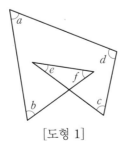
[도형 1]

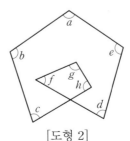
[도형 2]

4 부채꼴의 성질

고난도 대표유형·핵심개념

① 등급 노트

✅ **주의**

(1) 원의 중심을 지나는 현은 그 원의 지름이다.

(2) 원에서 지름은 길이가 가장 긴 현이다.

(3) 반원은 활꼴인 동시에 부채꼴이다.

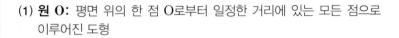

유형 1 원과 부채꼴, 활꼴

난이도 ★★

(1) **원 O:** 평면 위의 한 점 O로부터 일정한 거리에 있는 모든 점으로 이루어진 도형

(2) **호 AB:** 원 O 위의 두 점 A, B를 양 끝으로 하는 원의 일부분을 호 AB라 하고, 기호로 $\widehat{AB}$로 나타낸다.

(3) **현 CD:** 원 O에서 두 점 C, D를 이은 선분

(4) **부채꼴 AOB:** 원에서 두 반지름 OA, OB와 호 AB로 이루어진 도형

(5) **중심각:** 원 O의 두 반지름 OA, OB로 이루어진 ∠AOB를 호 AB에 대한 중심각 또는 부채꼴 AOB의 중심각이라고 한다.

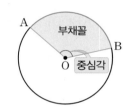

(6) **활꼴:** 원에서 현 CD와 호 CD로 이루어진 도형

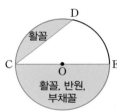

➕ 플러스 개념

이등변삼각형은 두 변의 길이가 같고, 두 내각의 크기가 같다.

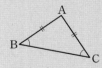

$\overline{AB}=\overline{AC}$, ∠B=∠C

유형 2 중심각의 크기와 호의 길이

난이도 ★★

(1) 한 원 또는 합동인 두 원에서 호의 길이는 중심각의 크기에 정비례한다.

⇨ ∠COD=∠AOB이면 $\widehat{CD}=\widehat{AB}$,

∠COE=2∠AOB이면 $\widehat{CE}=2\widehat{AB}$

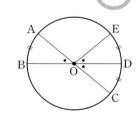

(2) 한 원에서 세 호의 길이의 비가 주어진 경우

$\widehat{AB}:\widehat{BC}:\widehat{CA}=a:b:c$일 때

⇨ ∠AOB=$360°\times\dfrac{a}{a+b+c}$, ∠BOC=$360°\times\dfrac{b}{a+b+c}$

∠COA=$360°\times\dfrac{c}{a+b+c}$

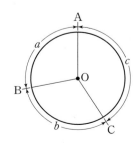

(3) 이등변삼각형이 주어진 경우

　① 이등변삼각형의 두 내각의 크기가 같다.

　　⇨ ∠OCD＝∠ODC

　② 평행선에서 엇각의 크기가 같다.

　　⇨ ∠ODC＝∠DOB

　③ 호의 길이와 중심각의 크기가 정비례한다.

　　⇨ $\widehat{CD} : \widehat{DB}$＝∠COD : ∠DOB

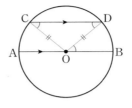

(4) 평행선이 주어진 경우

　$\overline{AC} /\!/ \overline{OD}$일 때, 보조선 OC를 그으면

　① △OAC는 이등변삼각형이므로 ∠OAC＝∠OCA

　② ∠OAC＝∠BOD (동위각), ∠OCA＝∠COD (엇각)

　③ ∠OAC＋∠OCA＝∠COB

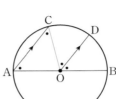

1 등급 노트

참고

평행선의 성질

세 직선이 두 점에서 만날 때,

두 직선이 평행하면

(1) 동위각의 크기가 같다.

(2) 엇각의 크기가 같다.

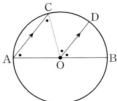

난이도 ★

중심각의 크기에 대한 부채꼴의 호의 길이와 넓이　유형 3

(1) 한 원 또는 합동인 두 원에서 호의 길이는 중심각의 크기에 정비례한다.

　⇨ ∠AOB : ∠COD＝$\widehat{AB}$: $\widehat{CD}$

(2) 한 원 또는 합동인 두 원에서 부채꼴의 넓이는 중심각의 크기에 정비례한다.

　⇨ ∠AOB : ∠COD
　　＝(부채꼴 AOB의 넓이) : (부채꼴 COD의 넓이)

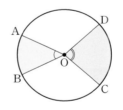

TIP

$a : b = c : d$이면 $ad = bc$

난이도 ★★

중심각의 크기에 정비례하는 것　유형 4

한 원 또는 합동인 두 원에서

(1) 중심각의 크기가 같을 때 같은 것

　⇨ 현의 길이, 호의 길이, 부채꼴의 넓이

(2) 중심각의 크기에 정비례하는 것

　⇨ 호의 길이, 부채꼴의 넓이

(3) 중심각의 크기에 정비례하지 않는 것

　⇨ 현의 길이, 활꼴의 넓이, 현과 두 반지름으로 이루어진 삼각형의 넓이

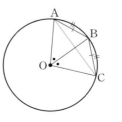

오답노트

$\overline{AC} < \overline{AB} + \overline{BC}$

△OAC ＜ △OAB＋△OBC

유형 5 삼각형의 외각의 성질을 이용하여 호의 길이 구하기

난이도
★★★

(1) 이등변삼각형의 두 내각의 크기가 같고, 삼각형에서 한 외각의 크기는 그와 이웃하지 않는 두 내각의 크기의 합과 같음을 이용하여 중심각의 크기를 구한다.

(2) 호의 길이는 중심각의 크기에 정비례하므로 비례식을 세워 호의 길이를 구한다.

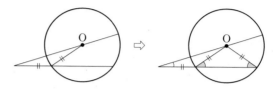

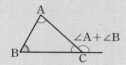

유형 6 원의 둘레의 길이와 넓이 구하기

난이도
★★

반지름의 길이가 r인 원 O의 둘레의 길이를 l, 넓이를 S라고 하면

(1) (원 O의 둘레의 길이) = (지름의 길이) × (원주율)이므로
$l = 2\pi r$

(2) (원 O의 넓이) = (반지름의 길이) × (반지름의 길이) × (원주율)이므로
$S = \pi r^2$

유형 7 부채꼴의 호의 길이와 넓이 구하기

난이도
★★★

(1) 부채꼴의 호의 길이와 넓이

반지름의 길이가 r, 중심각의 크기가 $x°$인 부채꼴의 호의 길이를 l, 넓이를 S라고 하면

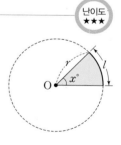

① $l = 2\pi r \times \dfrac{x}{360}$ 　 ② $S = \pi r^2 \times \dfrac{x}{360}$

(2) 부채꼴의 호의 길이와 넓이 사이의 관계

반지름의 길이가 r, 호의 길이가 l인 부채꼴의 넓이를 S라고 하면 $S = \dfrac{1}{2}rl$이다.

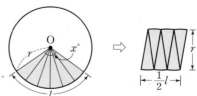

$l = 2\pi r \times \dfrac{x}{360}$에서 $\dfrac{x}{360} = \dfrac{l}{2\pi r}$이므로

$S = \pi r^2 \times \dfrac{x}{360} = \pi r^2 \times \dfrac{l}{2\pi r} = \dfrac{1}{2}rl$

색칠한 부분의 둘레의 길이와 넓이 구하기 　유형 8

(1) 주어진 도형을 몇 개의 도형으로 나누어 구하는 경우

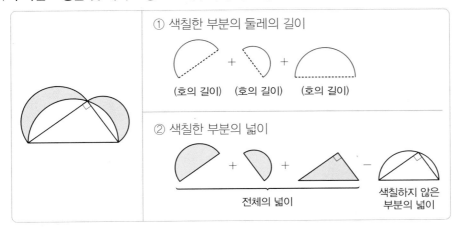

① 색칠한 부분의 둘레의 길이

(호의 길이)　(호의 길이)　(호의 길이)

② 색칠한 부분의 넓이

전체의 넓이　　　　　　색칠하지 않은 부분의 넓이

(2) 도형의 일부분을 이동하여 간단한 모양으로 만들어 구하는 경우

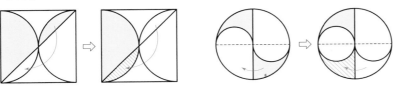

다양한 길이와 넓이 구하기 　유형 9

(1) 한 꼭짓점을 중심으로 도형이 회전하는 경우

　⇨ 도형 위의 점이 움직인 거리는 부채꼴의 호의 길이와 같음을 이용한다.

(2) 끈의 최소 길이 구하기

　⇨ 곡선 부분과 직선 부분으로 나누어 구한다.

　⑩ 반지름의 길이가 4 cm인 두 원을 묶은 끈의 길이

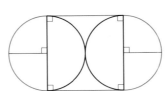

　　(직선 부분의 길이) = (반지름의 길이) × 4

　　　　　　　　　　 = 16 (cm)

　　(곡선 부분의 길이)

　　= (반원의 호의 길이) × 2

　　= $2\pi \times 4 \times \dfrac{180}{360} \times 2 = 8\pi$ (cm)

　　(끈의 길이) = $16 + 8\pi$ (cm)

(3) 최대로 움직일 수 있는 영역의 넓이 구하기

　⇨ 원의 중심과 반지름을 파악하여 지나간 자리를 그린 후 구한다.

01

반지름의 길이가 4 cm인 원의 가장 긴 현의 길이를 a cm, 가장 긴 현과 호로 둘러싸인 활꼴의 넓이를 $b\pi$ cm²라고 할 때, $a+b$의 값을 구하시오.

02

오른쪽 그림과 같이 $\overline{AB}$가 지름인 원 O에서 $\overline{OC} \parallel \overline{BD}$이고 $\angle AOC = 25°$, $\widehat{AC} = 5$ cm일 때, $\widehat{BD}$의 길이를 구하시오.

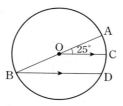

03

오른쪽 그림과 같이 원 O에서 부채꼴 AOB와 부채꼴 COD의 넓이가 각각 8 cm², 20 cm²일 때, $\angle x$의 크기를 구하시오.

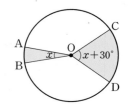

04

오른쪽 그림과 같이 원 O에서 $\angle AOB = 60°$이고 $\angle COD = 20°$일 때, 다음 중 옳은 것을 모두 고르면?

(정답 2개)

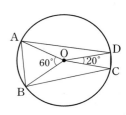

① $\widehat{AD} = \widehat{BC}$
② $\overline{AB} = 3\overline{CD}$
③ $\widehat{AB} = 3\widehat{CD}$
④ (△OAB의 넓이)$=3\times$(△OCD의 넓이)
⑤ (부채꼴 AOB의 넓이)$=3\times$(부채꼴 COD의 넓이)

05

오른쪽 그림과 같이 반지름의 길이가
6 cm인 원 O에서 $\overarc{AB}=\overarc{AC}$,
$\overline{AB}=10$ cm일 때, 색칠한 도형의 둘레
의 길이를 구하시오.

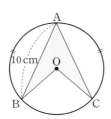

07

오른쪽 그림과 같이 원 O에서
$\overarc{AB} : \overarc{BC} : \overarc{CA}=3 : 2 : 4$이고 부채꼴
BOC의 넓이가 8π cm²일 때, 원 O의
반지름의 길이를 구하시오.

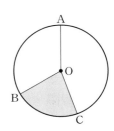

06

오른쪽 그림과 같이 원 O에서
$\overline{AB}$가 원의 중심 O를 지나고,
$\overarc{AC} : \overarc{CD}=1 : 3$이고 $\overline{AB} /\!/ \overline{CD}$일
때, $\angle ABC$의 크기를 구하시오.

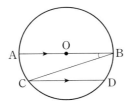

08

오른쪽 그림과 같이 원 O에서 $\overline{BC}$가
원의 중심 O를 지난다. $\overline{AD} /\!/ \overline{BC}$이
고 $\angle AOD=140°$, $\overarc{CD}=4\pi$ cm
일 때, 원 O의 반지름의 길이를 구하
시오.

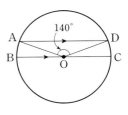

09

오른쪽 그림과 같이 $\overline{AC}$를 지름으로 하는 원에서 $\overline{AB} : \overline{BC} = 2 : 3$인 $\overline{AB}$와 $\overline{BC}$를 지름으로 하는 반원을 각각 그렸다. $\overline{AC} = 20$ cm이고, 색칠한 부분의 둘레의 길이를 a cm, 넓이를 b cm²라고 할 때, $a+b$의 값을 구하시오.

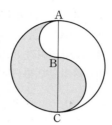

11

오른쪽 그림과 같이 $\overline{AB}$를 지름으로 하는 반원 O와 $\overline{AB}$를 반지름으로 하고 중심각의 크기가 30°인 부채꼴 ABC가 겹쳐져 있다. $\overline{AB} = 6$ cm일 때, 색칠한 부분의 둘레의 길이를 구하시오.

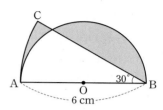

10

호의 길이가 2π cm이고 넓이가 8π cm²인 부채꼴이 있다. 이 부채꼴의 중심각의 크기를 구하시오.

12

오른쪽 그림과 같은 한 변의 길이가 8 cm인 정사각형 ABCD에서 색칠한 부분의 넓이를 구하시오.

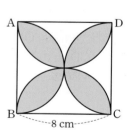

13

오른쪽 그림과 같이 정사각형 ABCD에서 $\overline{AD}$, $\overline{BC}$를 지름으로 하는 반원을 각각 그렸다. 두 반원의 교점을 E라고 하면 대각선 AC가 점 E를 지나고 $\overline{AB}=12$ cm라고 할 때, 색칠한 부분의 넓이를 구하시오.

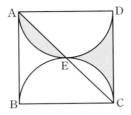

14

오른쪽 그림과 같이 한 변의 길이가 12 cm인 정사각형 ABCD에서 색칠한 부분의 넓이를 구하시오.

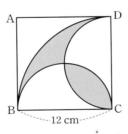

15

오른쪽 그림과 같이 $\overline{AB}$를 지름으로 하는 원 O에서 삼각형 ABC는 $\angle B=90°$인 직각삼각형이다. $\overline{OA}=4$ cm이고 색칠한 두 영역의 넓이가 각각 P cm², Q cm²일 때, $P=Q$이다. $\overline{BC}$의 길이를 구하시오.

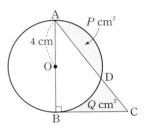

16

다음 그림과 같이 $\overline{AB}=7$ cm, $\overline{AD}=13$ cm인 직사각형 ABCD의 둘레를 반지름의 길이가 2 cm인 원 O가 한 바퀴 돌았을 때, 이 원의 중심 O가 움직인 거리를 구하시오.

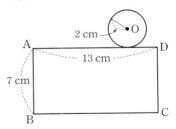

01

오른쪽 그림과 같이 원 O에서
$\overset{\frown}{AB} : \overset{\frown}{BC} = 2 : 1$, $\overset{\frown}{BC} : \overset{\frown}{CD} = 1 : 3$,
$\overset{\frown}{CD} : \overset{\frown}{DA} = 3 : 4$일 때, ∠COD의 크
기를 구하시오.

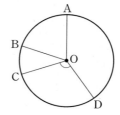

02

오른쪽 그림과 같이 △ABC의 세 변과 원
O가 만나는 세 점을 D, E, F라 하면
$\overline{AB} \perp \overline{OD}$, $\overline{BC} \perp \overline{OE}$, $\overline{AC} \perp \overline{OF}$이고
∠A : ∠B : ∠C = 3 : 7 : 80이다.
$\overset{\frown}{DE} : \overset{\frown}{EF} : \overset{\frown}{FD} = a : b : c$라고 할 때,
$a+b+c$의 값을 구하시오.
　　　(단, a, b, c는 서로소인 자연수이다.)

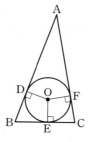

03

오른쪽 그림과 같이 원 O에서 $\overline{CD}$가
원의 중심 O를 지나고 $\overline{AM} = \overline{BM}$,
$\overset{\frown}{CA} = \overset{\frown}{AB}$일 때, ∠AOB의 크기를
구하시오.

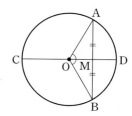

04

오른쪽 그림은 $\overline{AB}$를 지름으로 하는
원 O에서 점 O를 중심으로 하고 반
지름의 길이가 각각 5 cm, 8 cm,
9 cm, 12 cm인 4개의 원을 그린 것
이다. 점 O를 지나는 4개의 직선을
그린 후 그림과 같이 색칠하였을 때,
색칠한 부분의 둘레의 길이를 구하
시오.

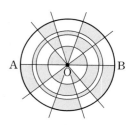

05

오른쪽 그림과 같이 원 O에서 지름 AB의 연장선과 현 CD의 연장선의 교점을 P라고 하자. $\overline{OD}=\overline{DP}$이고 ∠BPD=25°일 때, $\overset{\frown}{AC}:\overset{\frown}{BD}$를 가장 간단한 자연수의 비로 나타내시오.

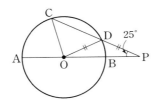

06

오른쪽 그림과 같이 원 O에서 $\overset{\frown}{AB}=\overset{\frown}{AC}$이고 ∠BOC=112°일 때, ∠ABO의 크기를 구하시오.

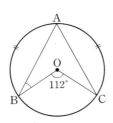

07

오른쪽 그림과 같이 $\overline{AD}$를 지름으로 하는 반원 O에서 $\overset{\frown}{AB}:\overset{\frown}{CD}=3:1$이고 ∠ACB=36°일 때, ∠AOC의 크기를 구하시오.

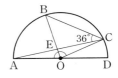

08

오른쪽 그림과 같이 $\overline{BC}=12$ cm인 반원 O에서 $\overline{AB}=\overline{AC}$이고 ∠A=50°인 삼각형 ABC를 그렸다. 반원이 $\overline{AB}$, $\overline{AC}$와 만나는 점을 각각 E, F라고 할 때, $\overset{\frown}{EF}$의 길이를 구하시오.

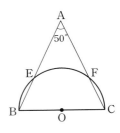

09

오른쪽 그림과 같이 $\overline{AD}$, $\overline{BD}$, $\overline{BC}$를 각각 지름으로 하는 세 반원에서 점 O는 $\overline{AD}$의 중점이고, 점 C는 $\overline{BD}$의 중점이다. $\overline{BO} : \overline{OD} = 3 : 5$이고 $\overline{AD} = 20$ cm일 때, 색칠한 부분의 넓이를 구하시오.

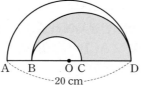

10

오른쪽 그림과 같이 $\overline{AD}$를 지름으로 하는 원 O에서 $\overline{AB} = \overline{BC} = \overline{CD}$이고 $\overline{AB}$, $\overline{AC}$를 지름으로 하는 반원과 $\overline{BD}$, $\overline{CD}$를 지름으로 하는 반원을 각각 그렸다. $\overline{AD} = 18$ cm일 때, 색칠한 부분의 둘레의 길이는 a cm, 넓이는 b cm²이다. $a+b$의 값을 구하시오.

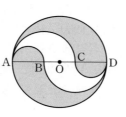

11

오른쪽 그림과 같이 $\overline{AB} = 6$ cm인 직사각형 ABCD에서 $\overline{BC}$의 연장선과 $\overline{CD}$를 반지름으로 하는 사분원과의 교점을 E라고 하자. 색칠한 부분의 넓이와 직사각형 ABCD의 넓이가 같을 때, $\overline{BC}$의 길이를 구하시오.

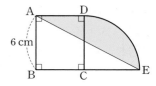

12

오른쪽 그림과 같이 반지름의 길이가 같은 두 원 O, O′에서 $\overline{OO'}$의 연장선과 두 원 O, O′이 만나는 점을 각각 A, B라고 하자. $\overline{AB} = 24$ cm일 때, 색칠한 부분의 넓이를 구하시오.

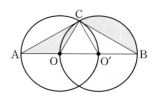

13

오른쪽 그림과 같이 $\overline{AD}=12$ cm, $\overline{AB}=8$ cm인 직사각형 ABCD에서 점 A를 중심으로 하고 $\overline{AD}$를 반지름으로 하는 부채꼴 DAE와 점 C를 중심으로 하고 $\overline{CD}$를 반지름으로 하는 부채꼴 DCF를 그렸을 때, 색칠한 부분의 넓이를 구하시오.

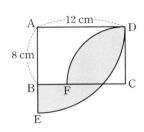

15

다음 그림과 같이 $\overline{AB}$가 지름인 반원 O를 직선 l 위에서 점 A, B가 각각 점 C, D에 오도록 회전시켰다. $\overline{AB}=6$ cm일 때, 점 O가 움직인 거리를 구하시오.

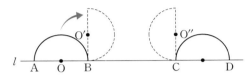

14

오른쪽 그림과 같이 $\overline{AB}=6$ cm, $\overline{BC}=3$ cm이고 ∠ABC=60°인 직각삼각형 ABC에서 점 B를 중심으로 삼각형 ABC를 회전시켜 점 C가 $\overline{AB}$의 연장선 위의 점 D에 오게 했을 때, 색칠한 부분의 넓이를 구하시오.

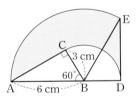

16

다음 그림과 같이 $\overline{AB}=4$ m, $\overline{AD}=10$ m인 직사각형 모양의 창고가 있다. $\overline{BM}=\overline{CM}$인 M지점에 길이가 12 m인 줄로 염소를 묶어 놓았을 때, 염소가 최대한 움직일 수 있는 영역의 넓이를 구하시오. (단, 염소는 창고 안에 들어갈 수 없으며 줄의 두께와 매듭의 길이, 염소의 크기는 생각하지 않는다.)

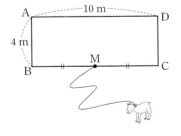

01

오른쪽 그림과 같이 원 O에서 직선 l, m의 교점을 P, 직선 l과 m이 원 O와 만나는 점을 각각 A, B, C, D라고 하면 $\overline{AB}=\overline{CD}$, $\angle BPD=24°$, $\angle OAB=48°$이다. 이때 $\overparen{AC}:\overparen{BD}$를 가장 간단한 자연수의 비로 나타내시오.

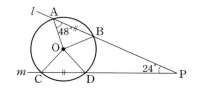

02

오른쪽 그림과 같이 원 O에서 $\overline{CD}$가 원의 중심 O를 지나고, $\overline{OA}=\overline{AB}$, $\overline{AM}=\overline{BM}$, $\overparen{AE}:\overparen{ED}=2:1$이다. 부채꼴 AOC의 넓이가 $6\ \text{cm}^2$라고 할 때, 부채꼴 AOE의 넓이를 구하시오.

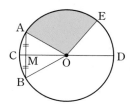

03

오른쪽 그림과 같이 $\overline{AB}$를 지름으로 하는 원 O에서 $\overline{AC}/\!/\overline{DO}$이고, 부채꼴 AOC의 넓이는 $20\ \text{cm}^2$, 부채꼴 AOD의 넓이는 $8\ \text{cm}^2$일 때, $\angle BOC$의 크기를 구하시오.

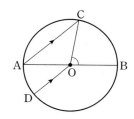

04

오른쪽 그림은 한 변의 길이가 $8\ \text{cm}$인 정사각형 ABCD 안에 각 꼭짓점을 중심으로 하는 사분원 4개를 그린 것이다. 색칠한 부분의 둘레의 길이를 구하시오.

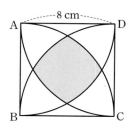

05

오른쪽 그림과 같이 대각선의 길이가 12 cm인 정사각형 ABCD에서 색칠한 부분의 넓이를 구하시오.

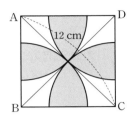

06

오른쪽 그림과 같이 $\overline{AB}$를 지름으로 하는 반원 O에서 $\widehat{AB}$를 6등분하는 점을 각각 C, D, E, F, G라고 하자. $\overline{AB}=6$ cm일 때, 두 현 DF, CG와 두 호 CD, FG로 둘러싸인 도형의 넓이를 구하시오.

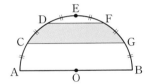

07

오른쪽 그림과 같이 한 변의 길이가 9 cm인 정사각형 ABCD의 둘레를 따라 한 변의 길이가 6 cm인 정삼각형 AEF의 세 점 A, E, F가 각각 세 점 C, G, H에 오도록 회전시켰을 때, 점 E가 움직인 거리를 구하시오.

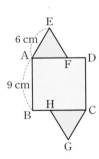

08

지름의 길이가 2 cm인 원기둥 모양의 빨대 7개를 끈을 사용하여 A, B 두 가지 방법으로 묶은 단면이 그림과 같을 때, 사용한 끈의 길이가 어느 쪽이 얼마만큼 더 긴지 구하시오. (단, 매듭의 길이와 끈의 두께는 무시한다.)

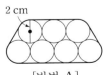

[방법 A]

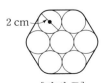

[방법 B]

Level ④ 부채꼴의 성질

01

오른쪽 그림과 같이 원 O에서 지름 A_1B_1, A_2B_2, A_3B_3, $\cdots$, A_nB_n을
$\overset{\frown}{A_1A_2}=\overset{\frown}{A_2A_3}=\cdots=\overset{\frown}{A_{n-1}A_n}=\overset{\frown}{A_nB_1}$이 되도록 그었을 때, 원은 넓이가 같은 부채꼴 x개로 나누어
지고, 지름이 아닌 현 CD를 그으면 원은 최대 y개의 영역으로 나누어진다. 이때 $x+y$를 n을 이용
하여 나타내시오. (단, n은 자연수이다.)

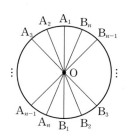

02

오른쪽 그림과 같이 $\angle A=50°$이고 $\overline{AB} /\!/ \overline{DC}$, $\overline{AD} /\!/ \overline{BC}$인 사각형 ABCD에서 점 D를 원의
중심으로 하고 $\overline{CD}$를 반지름으로 하는 원과 $\overline{AD}$가 만나는 점을 E, $\overline{BC}$와 만나는 점을 F라고
할 때, $\overset{\frown}{EF} : \overset{\frown}{FC}$를 가장 간단한 자연수의 비로 나타내시오. (단, $\overline{AD} > \overline{CD}$)

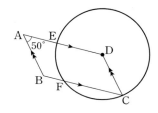

03

오른쪽 그림과 같이 정사각형 ABCD의 네 변의 연장선을 그은 후 꼭짓점 A, D, C, B, A, $\cdots$
를 중심으로 하고 $\overline{AB}$, $\overline{DP_1}$, $\overline{CP_2}$, $\overline{BP_3}$, $\overline{AP_4}$, $\cdots$를 반지름으로 하는 사분원을 각각 O_1, O_2,
O_3, O_4, O_5, $\cdots$라고 하자.
$l_n = ($정사각형 ABCD와 사분원 O_1, O_2, O_3, $\cdots$ O_n으로 이루어진 도형의 둘레의 길이)라고
할 때, $l_{18} - l_{16} = 12\pi$이다. 정사각형 ABCD의 넓이를 구하시오. (단, $n \geq 4$)

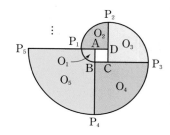

04

오른쪽 그림과 같이 한 변의 길이가 8 cm인 정사각형 ABCD에서 두 점 A, C를 각각 중심으로 하고 반지름의 길이가 6 cm인 두 부채꼴을 그렸을 때, 색칠한 부분의 넓이를 각각 P cm², Q cm², R cm²라고 하자. 이때 $P-Q+R$의 값을 구하시오.

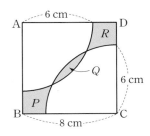

05

오른쪽 그림과 같이 $\overline{AO}=6$ cm, $\angle AOB=90°$인 사분원 O와 $\overline{BO}$를 지름으로 하는 반원 O′에서 $\overparen{AC}=\overparen{CD}=\overparen{DB}$인 두 점 C, D와 점 O를 이은 선분이 반원 O′과 만나는 점을 각각 E, F라고 할 때, 색칠한 부분의 넓이를 구하시오.

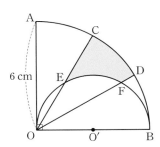

06

오른쪽 그림과 같이 $\overline{O_1O_2}=12$ cm, $\overline{O_1A}=\overline{AB}=\overline{BO_2}$인 두 원 O_1, O_2에 대하여 반지름의 길이가 4 cm인 원 O가 두 원 O_1, O_2의 둘레를 따라 한 바퀴 돌 때, 원 O의 중심이 움직인 거리를 구하시오.

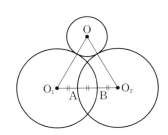

01

오른쪽 그림과 같이 ∠B=85°, ∠C=36°인 삼각형 ABC를 $\overline{DE}$를 접는 선으로 하여 접었을 때, ∠A′DB+∠A′EC의 크기를 구하시오.

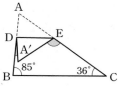

02

오른쪽 그림과 같이 오각형 ABCDE에서 ∠A=132° ∠B=90°, ∠C=150°이고, ∠D의 외각의 이등분선과 ∠E의 외각의 이등분선의 교점을 F라 할 때, ∠DFE의 크기를 구하시오.

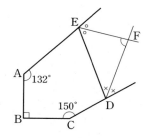

03

오른쪽 그림과 같이 $\overline{AB}=\overline{BC}$인 정오각형과 정사각형을 번갈아 붙여서 $\overline{AB}$를 한 변의 길이로 하고 ∠ABC를 한 내각의 크기로 하는 정다각형을 만들었다. 이때 사용한 합동인 정오각형의 개수를 a개, 합동인 정사각형의 개수를 b개, 만든 정다각형의 꼭짓점의 개수를 n개라고 할 때, $a+b+n$의 값을 구하시오.

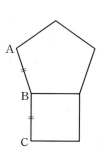

04

오른쪽 그림과 같이 별 모양의 다각형에서 꼭짓점 A_n과 B_n에 대하여 다각형의 내각을 ∠A_1, ∠A_2, ∠A_3, ⋯, ∠A_n, ∠B_1, ∠B_2, ∠B_3, ⋯, ∠B_n이라고 하자. 별 모양의 다각형의 내각의 크기의 합을 n을 이용하여 나타내시오.

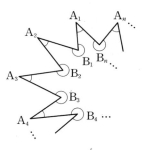

05

오른쪽 그림과 같이 원 O 위에
$\overline{BC}=\overline{CD}=\overline{GA}$, $\overline{DE}=\overline{EF}=\overline{FG}$인
점을 이어 칠각형 ABCDEFG를 그
렸다. ∠OAB=75°일 때, ∠COE의
크기를 구하시오.

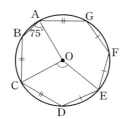

06

오른쪽 그림과 같이 $\overline{CD}=10\,cm$인 정
오각형 ABCDE에서 색칠한 부분의 둘
레의 길이를 a cm라 하고 그 넓이를
b cm²라고 할 때, $a-b$의 값을 구하
시오.

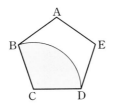

07

오른쪽 그림과 같이 ∠A=90°인
직각삼각형 ABC에서 각 변을 지
름으로 하는 반원을 그렸다.
$\overline{AB}=6\,cm$, $\overline{BC}=10\,cm$,
$\overline{CA}=8\,cm$일 때, 색칠한 부분 P,
Q의 넓이의 합을 구하시오.

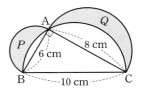

08

오른쪽 그림과 같이 한 변의 길이
가 8 cm인 정사각형 ABCD의
한 변 CD를 지름으로 하는 반원
에서 $\overset{\frown}{CE}=\overset{\frown}{DE}$일 때, 색칠한 부
분의 넓이를 구하시오.

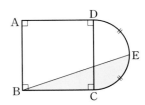

5 다면체와 회전체

고난도 대표유형·핵심개념

1 등급 노트

TIP

다면체의 이름은 그 면의 개수에 따라 정해진다.

플러스 개념

(1) **각기둥** : 두 밑면이 서로 합동인 다각형이고 옆면이 모두 직사각형인 다면체
(2) **각뿔** : 밑면이 다각형이고 옆면이 모두 삼각형인 다면체

주의

각뿔대의 옆면은 모두 사다리꼴이다. 이때 옆면이 항상 합동인 것은 아니다.

참고

각기둥, 각뿔, 각뿔대는 밑면의 모양에 따라 이름이 정해진다.
예 밑면이 사각형인 경우 : 사각기둥, 사각뿔, 사각뿔대

TIP

정다면체는 다섯 가지뿐이다.

유형 1   다면체의 뜻

난이도 ★

다면체 : 다각형인 면으로만 둘러싸인 입체도형

① 다면체의 면 : 다면체를 둘러싸고 있는 다각형
② 다면체의 모서리 : 다각형의 변
③ 다면체의 꼭짓점 : 다각형의 꼭짓점

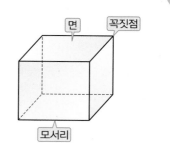

유형 2   각뿔대의 뜻과 성질

난이도 ★★

각뿔대 : 각뿔을 밑면에 평행한 평면으로 자를 때 생기는 입체도형 중에서 각뿔이 아닌 쪽의 다면체

① 각뿔대의 밑면 : 서로 평행한 두 면
② 각뿔대의 옆면 : 밑면이 아닌 면
③ 각뿔대의 높이 : 두 밑면에 수직인 선분의 길이

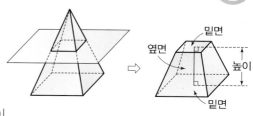

유형 3   정다면체의 뜻과 성질

난이도 ★★★

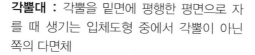

정다면체 : 각 면이 모두 합동인 정다각형이고, 각 꼭짓점에 모인 면의 개수가 모두 같은 다면체

정다면체	정사면체	정육면체	정팔면체	정십이면체	정이십면체
한 면의 모양	정삼각형	정사각형	정삼각형	정오각형	정삼각형
면의 개수	4개	6개	8개	12개	20개
꼭짓점의 개수	4개	8개	6개	20개	12개
모서리의 개수	6개	12개	12개	30개	30개
한 꼭짓점에 모인 면의 개수	3개	3개	4개	3개	5개

난이도 ★★

(1) 회전체 : 평면도형을 한 직선을 축으로 하여 1회전 시킬 때 생기는 입체도형

① 회전축 : 회전시킬 때 축이 되는 직선

② 모선 : 회전체의 옆면을 만드는 평면도형의 선분

(2) 회전체의 성질

회전체를 회전축을 포함하는 평면으로 자른 단면은 모두 합동이고, 회전축을 대칭축으로 하는 선대칭도형이다.

회전체	원기둥	원뿔	구
회전축에 수직인 평면으로 자른 단면	원	원	원
회전축을 포함하는 평면으로 자른 단면	직사각형	이등변삼각형	원

① 등급 노트

➕ **플러스 개념**

① **단면 :** 입체도형을 평면으로 자를 때 생기는 면

② **선대칭도형 :** 한 직선을 따라 접어서 완전히 겹쳐지는 도형

TIP

구는 어느 방향으로 잘라도 그 단면이 항상 원이다.

난이도 ★★

(1) 원뿔대: 원뿔을 밑면에 평행한 평면으로 자를 때 생기는 두 입체도형 중에서 원뿔이 아닌 쪽의 입체도형

① 원뿔대의 밑면 : 서로 평행한 두 면

② 원뿔대의 옆면 : 밑면이 아닌 면

③ 원뿔대의 높이 : 두 밑면에 수직인 선분의 길이

(2) 원뿔대의 성질

① 원뿔대를 회전축에 수직인 평면으로 자른 단면은 원이다.

② 원뿔대를 회전축을 포함하는 평면으로 자른 단면은 사다리꼴이다.

참고

각뿔대 VS 원뿔대

각뿔대는 다면체이고 원뿔대는 회전체이다. 각뿔대의 옆면은 3개 이상이지만 원뿔대의 옆면은 한 개이다.

01

다음 다면체 중에서 면의 개수가 가장 많은 도형은?

① 육각뿔
② 육각뿔대
③ 정육면체
④ 정육각뿔
⑤ 삼각기둥

02

어떤 각뿔대의 모서리의 개수가 15개일 때, 이 각뿔대의 면의 개수는?

① 5개
② 7개
③ 9개
④ 10개
⑤ 12개

03

각뿔대에 대한 다음 설명 중 옳지 <u>않은</u> 것은?

① 옆면은 모두 합동이다.
② 옆면은 모두 사다리꼴이다.
③ 두 밑면은 서로 평행하다.
④ 꼭짓점의 개수는 항상 짝수이다.
⑤ 두 밑면의 변의 개수는 서로 같다.

04

다음 조건을 모두 만족하는 다면체의 꼭짓점의 개수는?

(가) 팔면체이다.
(나) 각뿔대이다.

① 6개
② 8개
③ 10개
④ 12개
⑤ 14개

05

정다면체에 대한 다음 설명 중 옳지 <u>않은</u> 것은?

① 정다면체는 5가지이다.
② 면의 개수와 꼭짓점의 개수가 같은 정다면체는 정사면체 이다.
③ 정사각형으로 이루어진 정다면체는 정육면체이다.
④ 각 꼭짓점에 모인 면의 개수가 5개인 정다면체는 정십이면 체이다.
⑤ 면의 개수가 가장 많은 정다면체는 정이십면체이다.

06

어떤 각뿔대의 모서리의 개수가 정이십면체의 모서리의 개수와 같을 때, 이 각뿔대의 꼭짓점의 개수는?

① 8개　　　　② 10개　　　　③ 12개
④ 20개　　　　⑤ 30개

07

다음 조건을 모두 만족하는 입체도형을 적으시오.

(가) 옆면이 모두 합동인 사다리꼴이다.
(나) 밑면의 모양은 정육각형이다.

08

오른쪽 그림과 같이 사각뿔을 밑면에 평행한 평면으로 자를 때 생기는 두 다면 체에 대한 다음 설명 중 옳지 <u>않은</u> 것은?

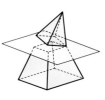

① 원래 사각뿔보다 더 작은 사각뿔이 생긴다.
② 사각뿔이 아닌 부분을 사각뿔대라고 한다.
③ 사각뿔과 사각뿔대의 면의 개수는 같다.
④ 사각뿔대의 두 밑면은 서로 평행하다.
⑤ 사각뿔의 모서리의 개수와 사각뿔대의 꼭짓점의 개수는 같다.

09

다음 중 가장 큰 수는?

① 정팔면체의 면의 개수
② 오각뿔대의 꼭짓점의 개수
③ 원뿔대의 밑면의 개수
④ 삼각기둥의 모서리의 개수
⑤ 사각뿔의 모서리의 개수

10

다음 보기의 입체도형 중에서 회전체인 것을 모두 고른 것은?

┌─ 보기 ──────────────────────┐
│ ㄱ. 구   ㄴ. 정육각뿔대 │
│ ㄷ. 정육면체   ㄹ. 원기둥   │
└───────────────────────────┘

① ㄱ, ㄴ   ② ㄱ, ㄷ   ③ ㄱ, ㄹ
④ ㄴ, ㄷ   ⑤ ㄷ, ㄹ

11

오른쪽 그림과 같은 평면도형을 직선 l을 축으로
하여 1회전 시킬 때 생기는 입체도형은?

① 구   ② 원뿔
③ 원뿔대   ④ 원기둥
⑤ 직육면체

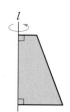

12

원뿔을 회전축을 포함하는 단면으로 잘랐을 때 생기는 도형은?

① 이등변삼각형   ② 직각삼각형
③ 직사각형   ④ 정육각형
⑤ 원

13

다음 중 회전체와 그 회전체를 회전축에 수직인 평면으로 자른 단면의 모양이 바르게 짝지어진 것은?

① 구 – 원
② 반구 – 반원
③ 원기둥 – 사다리꼴
④ 원뿔대 – 직사각형
⑤ 원뿔 – 이등변삼각형

14

오른쪽 그림과 같은 도형을 직선 l을 축으로 하여 1회전 시킬 때 생기는 입체도형은?

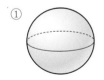 

① ② ③

④ ⑤

15

다음 보기의 입체도형 중 밑면에 평행한 평면으로 잘랐을 때, 단면이 항상 합동인 것은?

┤ 보기 ├
ㄱ. 원기둥
ㄴ. 원뿔대
ㄷ. 육각기둥
ㄹ. 정삼각뿔

① ㄱ, ㄴ
② ㄱ, ㄷ
③ ㄱ, ㄹ
④ ㄴ, ㄹ
⑤ ㄷ, ㄹ

16

구를 한 평면으로 자를 때 그 단면의 넓이를 가장 크게 하려면 어떻게 잘라야 하는지 서술하시오.

01

다음 중 모든 면이 삼각형인 다면체는?

① 삼각기둥   ② 삼각뿔   ③ 삼각뿔대

④ 사각뿔   ⑤ 사각뿔대

02

다음 중 각 꼭짓점에 모인 면의 개수가 4개인 정다면체에 대한 설명으로 옳은 것은?

① 회전체이다.
② 모든 면은 정사각형이다.
③ 면의 개수는 12개이다.
④ 꼭짓점의 개수는 4개이다.
⑤ 모서리의 개수는 12개이다.

03

오른쪽 입체도형의 면의 개수를 x개, 모서리의 개수를 y개, 꼭짓점의 개수를 z개라고 할 때, $x+y-z$의 값을 구하시오.

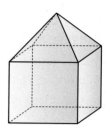

04

다음 조건을 모두 만족하는 다면체를 적으시오.

> (가) 각 면이 모두 합동인 정오각형이다.
> (나) 각 꼭짓점에 모인 면의 개수가 모두 같다.

05

다음 중 정사각뿔과 정사면체의 공통점으로 옳은 것은?

① 밑면이 모두 삼각형이다.
② 옆면이 모두 삼각형이다.
③ 면의 개수가 같다.
④ 모서리의 개수가 같다.
⑤ 모든 면이 정다각형이다.

06

다음 보기에서 사각형 모양인 면을 포함하는 다면체를 모두 고른 것은?

┌ 보기 ┐
ㄱ. 오각뿔   ㄴ. 오각뿔대
ㄷ. 정사면체   ㄹ. 정육면체
└─────────────────────────┘

① ㄱ, ㄴ   ② ㄱ, ㄷ   ③ ㄱ, ㄹ
④ ㄴ, ㄹ   ⑤ ㄷ, ㄹ

07

오른쪽 그림과 같은 전개도로 만들어지는 입체도형에 대한 다음 설명 중 옳은 것은?

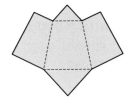

① 밑면은 사각형이다.
② 옆면은 직사각형이다.
③ 두 밑면은 서로 합동이다.
④ 모서리의 개수는 9개이다.
⑤ 꼭짓점의 개수는 10개이다.

08

아래 그림과 같은 전개도로 만들어지는 정다면체에 대한 다음 설명 중 옳은 것은?

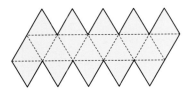

① 면의 개수는 12개이다.
② 한 꼭짓점에 모이는 면의 개수는 4개이다.
③ 모서리의 개수는 30개이다.
④ 꼭짓점의 개수는 20개이다.
⑤ 회전축을 갖는 회전체이다.

09

오른쪽 그림과 같은 도형을 직선 l을 축으로 하여 1회전 시킬 때 생기는 입체도형에 대하여 회전축에 수직인 평면으로 자른 단면의 최대 넓이는?

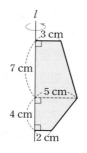

① 4π cm² ② 9π cm²
③ 16π cm² ④ 25π cm²
⑤ 49π cm²

10

오른쪽 회전체를 회전축을 포함하는 평면으로 자른 단면을 그리시오.

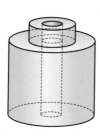

11

어떤 회전체를 회전축을 포함하는 단면으로 잘랐더니 정삼각형이 되었다. 모선의 길이가 6 cm일 때, 회전체의 밑면의 반지름의 길이는?

① 3 cm ② 4 cm ③ 5 cm
④ 6 cm ⑤ 7 cm

12

아래 그림은 어떤 입체도형의 전개도이다. 다음 중 이 입체도형에 대한 설명으로 옳지 <u>않은</u> 것은?

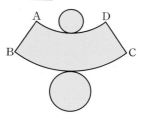

① 원뿔을 밑면과 평행하게 잘라서 생긴 도형이다.
② 선분 AB를 축으로 하는 회전체이다.
③ 두 밑면 중 작은 원의 둘레의 길이는 $\overarc{AD}$의 길이와 같다.
④ 옆면은 부채꼴의 일부분이다.
⑤ 두 밑면은 서로 평행하다.

13

다음 중 오른쪽 그림과 같은 평면도형을 직선 l을 축으로 하여 1회전 시킬 때 생기는 입체도형을 회전축에 수직인 평면으로 자를 때 생기는 단면의 모양이 될 수 있는 것은?

①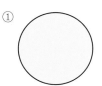

②

③

④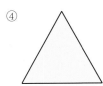

⑤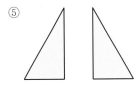

14

다음은 주위에서 볼 수 있는 다양한 입체도형이다. 회전체가 아닌 것은? (단, 무늬는 고려하지 않는다)

①

②

③

④

⑤

15

오른쪽 그림과 같이 한 변의 길이가 5 cm인 정사각형의 한 변을 축으로 하여 1회전 시킬 때 생기는 입체도형에 대한 다음 설명 중 옳지 않은 것은?

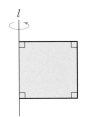

① 회전축을 포함하는 평면으로 자른 단면의 넓이는 25 cm²이다.
② 회전축에 수직인 평면으로 자른 단면의 넓이는 25π cm²이다.
③ 두 밑면은 서로 평행하다.
④ 두 밑면은 서로 합동이다.
⑤ 밑면의 반지름의 길이와 입체도형의 높이는 서로 같다.

16

회전체에 대한 다음 설명 중 옳지 않은 것을 모두 고르면?

(정답 2개)

① 같은 평면도형이라도 회전축의 위치를 다르게 하여 회전시키면 서로 다른 회전체가 된다.
② 회전축을 포함하는 평면으로 자를 때 생기는 단면은 회전축에 대하여 선대칭도형이다.
③ 원뿔을 밑면에 평행한 평면으로 자르면 원뿔대가 2개 생긴다.
④ 구는 어떤 방향으로 잘라도 그 단면은 항상 원이다.
⑤ 회전축에 수직인 평면으로 자를 때 생기는 단면은 항상 원이다.

01

어떤 각뿔대의 면의 개수와 모서리의 개수를 더하였더니 42개였다. 이 각뿔대의 꼭짓점의 개수는?

① 6개   ② 8개   ③ 10개   ④ 16개   ⑤ 20개

02

정육면체를 자를 때 생길 수 있는 단면을 모두 고르시오.

ㄱ. 삼각형   ㄴ. 정삼각형   ㄷ. 사각형   ㄹ. 오각형   ㅁ. 육각형

03

다음 도형은 모든 면이 정다각형으로 이루어진 다면체이다. 정다면체가 <u>아닌</u> 이유를 서술하시오.

(1)

(2)

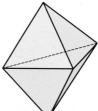

04

면의 모양이 정육각형인 정다면체가 없는 이유를 서술하시오.

05

오른쪽 그림과 같이 밑면이 사다리꼴인 각기둥의 꼭짓점 E에서 출발하여 면을 따라 모서리 AB 위의 한 점 P, 모서리 CD 위의 한 점 Q, 모서리 AB 위의 한 점 R를 순서대로 지나 꼭짓점 F 로 오려고 한다. $\overline{EP}+\overline{PQ}+\overline{QR}+\overline{RF}$의 길이가 가장 짧을 때, $\overline{CQ}$의 길이를 구하시오.

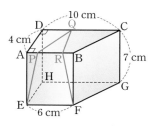

06

오른쪽 그림은 넓이가 16 cm^2인 직사각형을 한 변을 축으로 하여 1바퀴 돌릴 때 생긴 입체도형이다. 이 입체도형 의 높이는?

① 2 cm   ② 4 cm   ③ 6 cm

④ 8 cm   ⑤ 16 cm

07

오른쪽 그림과 같은 사다리꼴 ABCD에 대한 다음 설명 중 옳은 것은?

① 선분 AB를 회전축으로 하여 1회전 시킬 때 생기는 입체도형은 원기둥이다.
② 선분 BC를 회전축으로 하여 1회전 시킬 때 생기는 입체도형은 원뿔대이다.
③ 선분 CD를 회전축으로 하여 1회전 시킬 때 생기는 입체도형은 원뿔대이다.
④ 선분 AB를 회전축으로 하여 1회전 시킬 때 생기는 입체도형과 선분 CD를 회전축으로 하여 1회전 시킬 때 생기는 입체도형은 같다.
⑤ 선분 BC를 회전축으로 하여 1회전 시킬 때 생기는 입체도형과 선분 AD를 회전축으로 하여 1회전 시킬 때 생기는 입체도형은 같다.

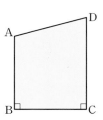

01

다음은 정다면체의 모서리의 개수를 구하는 방법을 설명한 것이다. ☐ 안에 들어갈 수로 옳지 <u>않은</u> 것은?

> 정팔면체의 면의 개수는 ① 개이고 면의 모양은 삼각형이므로 한 면의 모서리의 개수는 ② 개이다.
>
> 이때 한 모서리를 두 번씩 세므로 정팔면체의 모서리의 개수는 $\dfrac{8 \times ②}{2} =$ ③ (개)이다.
>
> 같은 방법으로 정십이면체의 면의 개수는 12개이고, 면의 모양은 오각형이므로 한 면의 모서리의 개수는 ④ 개이다.
>
> 이때 한 모서리를 두 번씩 세므로 정십이면체의 모서리의 개수는 $\dfrac{12 \times ④}{2}$, 즉 ⑤ 개이다.

① 8   ② 3   ③ 12   ④ 3   ⑤ 30

02

오른쪽 그림과 같이 정육면체의 각 면의 대각선을 연결하여 사면체 C−AFH를 만들었다. 다음 중 ☐ 안에 들어갈 내용으로 옳지 <u>않은</u> 것은?

> 삼각형 ACH의 모든 변은 정사각형의 대각선이므로 $\overline{AC} = \overline{CH} =$ ① 이다.
> 즉, 삼각형 ACH는 ② 이다.
> 마찬가지로, 삼각형 ACF, 삼각형 CFH, 삼각형 AFH도 정삼각형이다. 이때 세 변의 길이가 각각 같으므로 모두 ③ 이다.
> 즉, △ACH ≡ △ACF ≡ △CFH ≡ △AFH
> 또한 사면체 C−AFH의 각 꼭짓점에 모인 면의 개수는 모두 ④ 개이다.
> 각 면이 모두 합동인 정삼각형이고, 각 꼭짓점에 모인 면의 개수가 모두 같으므로 사면체 C−AFH은 ⑤ 이다.

① $\overline{HA}$ ② 정삼각형   ③ 합동   ④ 4   ⑤ 정사면체

03

오른쪽 그림은 정육면체의 각 꼭짓점을 잘라내어 만든 '깎은 정육면체'이다. 이 도형의 면의 개수를 a개, 모서리의 개수를 b개, 꼭짓점의 개수를 c개라고 할 때, $a+b+c$의 값을 구하시오.

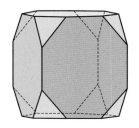

04

오른쪽 그림과 같이 정육면체의 각 면의 한가운데 점을 연결하면 정팔면체
를 만들 수 있고, 정팔면체의 각 면의 한가운데 점을 연결하면 정육면체를
만들 수 있다. 이를 통해 추론할 수 있는 것은?

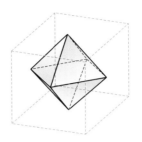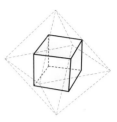

① 정육면체의 면의 개수와 정팔면체의 꼭짓점의 개수는 같다.
② 정육면체의 면의 개수와 정팔면체의 모서리의 개수는 같다.
③ 정육면체의 모서리의 개수와 정팔면체의 모서리의 개수는 같다.
④ 정육면체의 모서리의 개수와 정팔면체의 꼭짓점의 개수는 같다.
⑤ 정육면체의 꼭짓점의 개수와 정팔면체의 꼭짓점의 개수는 같다.

05

오른쪽 그림은 어떤 평면도형을 직선 l을 축으로 하여 1회전 시킬 때 생긴 입체도형이다.
다음 중 이 평면도형이 될 수 있는 것은?

① 　② 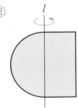　③

④ 　⑤

06

다음 중 오른쪽 그림과 같은 평면도형을 직선 l을 축으로 하여 1회전 시킬 때 생기는 입체도형은?

① 　② 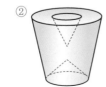　③

④ 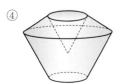　⑤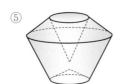

6 입체도형의 겉넓이

고난도 대표유형 · 핵심개념

유형 1 각기둥의 겉넓이

난이도 ★

(1) (각기둥의 겉넓이) = (밑넓이) × 2 + (옆넓이)
(2) 각기둥의 두 밑면은 서로 합동인 다각형이고, 옆면은 모두 직사각형이다.
(3) n각기둥의 옆면의 개수는 n개이다.

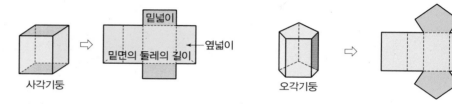

사각기둥   밑넓이 옆넓이 밑면의 둘레의 길이   오각기둥

유형 2 원기둥의 겉넓이

난이도 ★★

(1) (원기둥의 겉넓이) = (밑넓이) × 2 + (옆넓이)
(2) 원기둥의 두 밑면은 서로 합동인 원이고, 옆면은 1개의 직사각형이다.
(3) 밑면의 반지름의 길이가 r, 높이가 h인 원기둥에 대하여
   (원기둥의 겉넓이) $= \pi r^2 \times 2 + 2\pi r \times h$
   $= 2\pi r^2 + 2\pi r h$

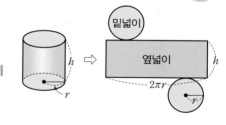

밑넓이 옆넓이

유형 3 각뿔의 겉넓이

난이도 ★★

(1) (각뿔의 겉넓이) = (밑넓이) + (옆넓이)
(2) 각뿔의 밑면은 1개의 다각형이고, 옆면은 모두 삼각형이다.
(3) n각뿔의 옆면의 개수는 n개이다.

사각뿔

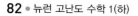

원뿔의 겉넓이 유형 4

(1) (원뿔의 겉넓이)＝(밑넓이)＋(옆넓이)
(2) 원뿔의 밑면은 1개의 원이고, 옆면은 부채 꼴이다.
(3) 밑면인 원의 둘레의 길이와 옆면인 부채꼴 의 호의 길이는 같다.
(4) 밑면의 반지름의 길이가 r, 모선의 길이가 l인 원뿔에 대하여

$$(원뿔의 겉넓이)＝\pi r^2+\frac{1}{2}\times 2\pi r\times l=\pi r^2+\pi rl$$

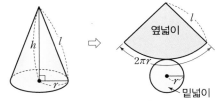

1 등급 노트

＋플러스 개념

부채꼴의 넓이 구하는 방법

① $S=\pi r^2\times\dfrac{x}{360}$

② $S=\dfrac{1}{2}rl$

각뿔대의 겉넓이 유형 5

(1) (각뿔대의 겉넓이)＝(밑넓이)＋(밑넓이)＋(옆넓이)
(2) 각뿔대의 두 밑면은 합동이 아닌 다각형이고, 옆면은 모두 사다리꼴이다.
(3) n각뿔대의 옆면의 개수는 n개이다.

풀이전략

옆면의 넓이를 구할 때, 큰 부채 꼴의 넓이에서 작은 부채꼴의 넓이를 빼면 된다.

원뿔대의 겉넓이 유형 6

(1) (원뿔대의 겉넓이)＝(밑넓이)＋(밑넓이)＋(옆넓이)
(2) 원뿔대의 두 밑면은 합동이 아닌 원이고, 옆면은 부채꼴의 일부분이다.
(3) 원뿔대의 옆면은 항상 1개이다.

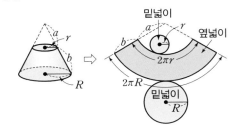

풀이전략

반구의 겉넓이는 구의 겉넓이의 $\dfrac{1}{2}$과 밑면인 원의 넓이를 더하 면 되므로 반지름의 길이가 r인 반구의 겉넓이는

$$2\pi r^2+\pi r^2=3\pi r^2$$

구의 겉넓이 유형 7

반지름의 길이가 r인 구의 겉넓이는 $4\pi r^2$이다.

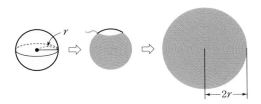

01

오른쪽 그림과 같은 입체도형의 겉넓이
는?

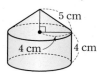

① 32π cm^2 ② 48π cm^2

③ 68π cm^2 ④ 80π cm^2

⑤ 96π cm^2

02

오른쪽 그림과 같은 도형을 직선 l을 축으로
하여 1회전 시킬 때 생기는 입체도형의 겉넓
이는?

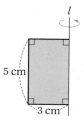

① 36π cm^2 ② 39π cm^2

③ 42π cm^2 ④ 45π cm^2

⑤ 48π cm^2

03

오른쪽 그림과 같은 도형을 직선 l을 축
으로 하여 1회전 시킬 때 생기는 입체도
형의 겉넓이는?

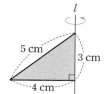

① 28π cm^2 ② 32π cm^2

③ 36π cm^2 ④ 40π cm^2

⑤ 44π cm^2

04

오른쪽 그림과 같은 도형을 직선 l을 축으로
하여 1회전 시킬 때 생기는 입체도형의 겉넓이
는?

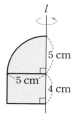

① 115π cm^2 ② 140π cm^2

③ 165π cm^2 ④ 190π cm^2

⑤ 215π cm^2

05

가로의 길이가 3 cm, 세로의 길이가 5 cm인 직사각형을 밑면으로 갖는 직육면체의 겉넓이는 126 cm²이다. 이 직육면체의 높이는?

① 5 cm   ② 6 cm   ③ 7 cm

④ 8 cm   ⑤ 9 cm

07

겉넓이가 100π cm²인 구의 반지름의 길이는?

① 4 cm   ② 5 cm   ③ 6 cm

④ 10 cm   ⑤ 12 cm

06

다음은 어떤 입체도형의 전개도를 나타낸 것이다. 이 전개도로 만든 입체도형의 겉넓이는?

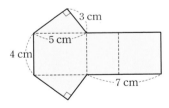

① 30 cm²   ② 36 cm²   ③ 45 cm²

④ 54 cm²   ⑤ 60 cm²

08

오른쪽 그림은 밑면이 정사각형인 정사각뿔대의 옆면이다. 이 정사각뿔대의 겉넓이는?

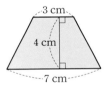

① 101 cm²   ② 129 cm²

③ 138 cm²   ④ 178 cm²

⑤ 209 cm²

09

밑면의 반지름의 길이가 5 cm이고, 모선의 길이가 6 cm인 원뿔의 겉넓이는?

① 25π cm^2 ② 30π cm^2 ③ 55π cm^2
④ 60π cm^2 ⑤ 80π cm^2

11

반지름의 길이가 5 cm인 반구의 겉넓이는?

① 25π cm^2 ② 50π cm^2 ③ 75π cm^2
④ 100π cm^2 ⑤ 125π cm^2

10

오른쪽 그림과 같은 전개도로 만들어지는 입체도형의 겉넓이는?

① 24π cm^2
② 26π cm^2
③ 28π cm^2
④ 30π cm^2
⑤ 32π cm^2

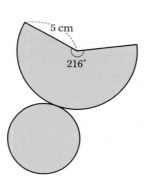

12

오른쪽 그림과 같은 각기둥의 겉넓이는?

① 100 cm^2
② 120 cm^2
③ 140 cm^2
④ 160 cm^2
⑤ 180 cm^2

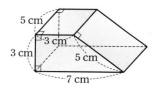

13

오른쪽 그림과 같은 입체도형의
겉넓이는?

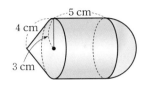

① 40π cm²

② 50π cm²

③ 60π cm²

④ 70π cm²

⑤ 80π cm²

14

오른쪽 그림과 같이 원기둥을 반으로
자른 입체도형이 있다. 이 입체도형
의 겉넓이는?

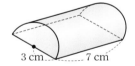

① $(30\pi+21)$ cm²

② $(30\pi+42)$ cm²

③ $(30\pi+63)$ cm²

④ $(51\pi+21)$ cm²

⑤ $(51\pi+42)$ cm²

15

오른쪽 그림과 같이 한 모서리의 길이가
3 cm인 정육면체에서 밑면의 반지름의
길이가 1 cm이고 높이가 3 cm인 원기둥
모양의 구멍을 뚫었다. 이 입체도형의 겉
넓이는?

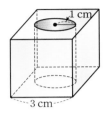

① $(36+4\pi)$ cm²

② $(36+6\pi)$ cm²

③ $(54-2\pi)$ cm²

④ $(54+4\pi)$ cm²

⑤ $(54+6\pi)$ cm²

16

어떤 원뿔의 밑면의 반지름의 길이가 3 cm이고, 겉넓이가
21π cm²일 때, 이 원뿔의 모선의 길이는?

① 2 cm   ② 4 cm   ③ 6 cm

④ 8 cm   ⑤ 10 cm

01

오른쪽 그림은 두 직육면체를 붙여 놓은 것이다. 이 입체도형의 겉넓이 는?

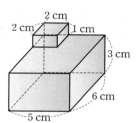

① 134 cm²
② 138 cm²
③ 142 cm²
④ 146 cm²
⑤ 150 cm²

02

오른쪽 그림은 밑면의 반지름의 길이가 4 cm이고 높이가 6 cm인 원기둥에서 밑면의 반지름의 길이가 1 cm이고 높이가 3 cm인 원기둥 모양의 구멍을 뚫은 것이다. 이 입체도형의 겉넓이는?

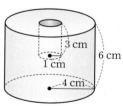

① 80π cm²
② 83π cm²
③ 85π cm²
④ 86π cm²
⑤ 87π cm²

03

오른쪽 그림과 같이 밑면이 정사각형이고 옆면이 모두 합동인 사각뿔의 겉넓이와 어떤 정육면체의 겉넓이가 같을 때, 이 정육면체의 한 모서리의 길이는?

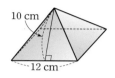

① 4 cm
② 5 cm
③ 6 cm
④ 7 cm
⑤ 8 cm

04

다음 조건을 모두 만족하는 육각기둥의 겉넓이를 구하시오.

(가) 한 밑면의 넓이는 15 cm²이다.
(나) 밑면에서 이웃하는 두 변의 길이의 합은 항상 8 cm이다.
(다) 육각기둥의 높이는 3 cm이다.

05

오른쪽 그림은 어떤 입체도형의 옆면을 나타낸 것이다. 이 입체도형의 높이가 5 cm일 때, 입체도형의 겉넓이는?

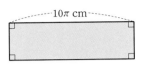

① 25π cm²   ② 50π cm²   ③ 70π cm²
④ 75π cm²   ⑤ 100π cm²

06

어떤 반구의 겉넓이가 147π cm²일 때, 이 반구의 반지름의 길이는?

① 7 cm   ② 8 cm   ③ 9 cm
④ 10 cm   ⑤ 11 cm

07

오른쪽 그림은 밑면이 사다리꼴인 각기둥에서 지름의 길이가 2 cm이고 높이가 6 cm인 원기둥 모양의 구멍을 뚫은 것이다.
이 입체도형의 겉넓이를 $(a+b\pi)$ cm²라고 할 때, $a+b$의 값은? (단, a, b는 유리수이다.)

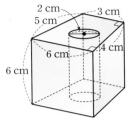

① 144   ② 154   ③ 164
④ 174   ⑤ 184

08

반지름의 길이가 3 cm인 구의 겉넓이와 밑면의 반지름의 길이가 3 cm인 원뿔의 겉넓이가 같다고 할 때, 이 원뿔의 모선의 길이는?

① 3 cm   ② 6 cm   ③ 9 cm
④ 12 cm   ⑤ 15 cm

01

오른쪽 그림과 같이 원기둥 안에 구가 꼭 맞게 들어 있다. 이때 원기둥과 구의 겉넓이의 비를 가장 간단한 자연수로 나타내면?

① 1 : 1   ② 2 : 1   ③ 3 : 2
④ 4 : 3   ⑤ 5 : 4

02

오른쪽 그림과 같이 반지름의 길이가 6 cm인 원 O가 있다. 모선의 길이가 6 cm인 원뿔을 점 O를 중심으로 굴렸더니 3바퀴 돈 후에 원래의 자리로 돌아왔다. 이 원뿔의 겉넓이는?

① 4π cm^2 ② 8π cm^2 ③ 12π cm^2
④ 16π cm^2 ⑤ 20π cm^2

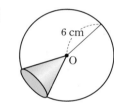

03

오른쪽 그림은 어떤 입체도형의 옆면을 나타낸 것이다. 이 입체도형의 겉넓이는?

① 4π cm^2 ② 8π cm^2 ③ 12π cm^2
④ 16π cm^2 ⑤ 20π cm^2

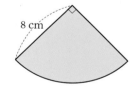

04

오른쪽 그림과 같은 도형을 직선 l을 축으로 하여 1회전 시킬 때 생기는 회전체를 회전축에 수직인 방향으로 자를 때 단면의 넓이가 최대가 되도록 자르려고 한다. 이때 회전체를 자르기 전의 겉넓이와 자른 후의 겉넓이의 차는?

① 36π cm^2 ② 48π cm^2 ③ 56π cm^2
④ 64π cm^2 ⑤ 72π cm^2

05

오른쪽 그림은 직육면체와 옆면이 모두 합동인 정사각뿔을 붙여 놓은 것이다. 이 입체도형의 겉넓이를 구하시오.

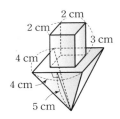

06

두꺼운 종이를 잘라 다음 그림과 같은 컵 홀더를 만들려고 한다. 컵 홀더를 만드는 데 필요한 종이의 넓이는?
(단, 종이의 두께는 무시한다.)

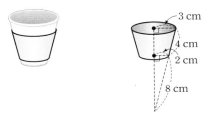

① 16π cm^2 ② 20π cm^2 ③ 32π cm^2 ④ 36π cm^2 ⑤ 40π cm^2

07

다음 그림은 어떤 입체도형을 위, 앞, 옆에서 본 모양을 그린 것이다. 이 입체도형의 겉넓이가 $(a+b\pi)$ cm^{2}일 때, $a-b$의 값은? (단, a, b는 유리수이다.)

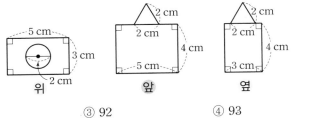

① 90 ② 91 ③ 92 ④ 93 ⑤ 94

01

오른쪽 그림은 모선의 길이가 6 cm인 원뿔이다. 점 A에서 옆면을 따라 한 바퀴 돌아 다시 점 A로 돌아오는 최단 거리가 6 cm일 때, 이 원뿔의 겉넓이는?

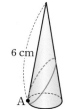

① 6π cm^2 ② 7π cm^2 ③ 8π cm^2
④ 9π cm^2 ⑤ 10π cm^2

02

겉넓이가 24 cm^{2}인 정사면체에서 각 모서리의 중점을 이어 만든 입체도형은 정팔면체이다. 이 정팔면체의 겉넓이를 구하시오.

03

오른쪽 그림과 같이 원기둥의 중앙에 반구가 놓여 있는 입체도형을 바닥에 닿은 면을 제외하고 페인트로 칠하려고 한다. 페인트 1통으로 500π cm^{2}의 넓이를 칠할 수 있을 때, 페인트가 최소 몇 통이 필요한지 구하시오.

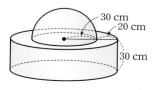

04

오른쪽 그림과 같이 한 변의 길이가 4π cm인 정사각형에 원기둥의 전개도가 그려져 있다. 이 전개도로 만들어지는 원기둥의 겉넓이가 $(a\pi^2+b\pi)$ cm^{2}일 때, $a-b$의 값을 구하시오.

(단, a, b는 유리수이다.)

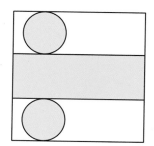

05

한 모서리의 길이가 2 cm인 정육면체를 다음과 같은 규칙으로 쌓아갈 때, [4단계]에서 만들어지는 입체도형의 겉넓이를 구하시오.

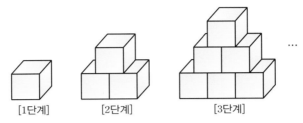

[1단계]   [2단계]   [3단계]   ...

06

오른쪽 그림과 같은 도형을 직선 l을 축으로 하여 1회전 시킬 때 생기는 회전체의 겉넓이를 구하시오.

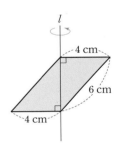

07

반지름의 길이가 2 cm이고 높이가 10 cm인 원기둥 모양의 음료수 캔을 다음 규칙에 따라 포장하려고 한다.

[규칙 1] 음료수 캔의 밑면의 중심을 연결하면 정다각형이다.
[규칙 2] 음료수 캔의 높이에 맞추어 포장한다.
[규칙 3] 포장지는 겹치는 부분이 없다.

음료수 캔 n개를 포장하려고 할 때, 필요한 포장지의 넓이를 n을 이용하여 나타내시오. (단, n은 3 이상의 자연수이다.)

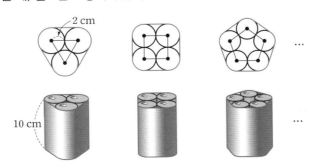

7 입체도형의 부피

고난도 대표유형 · 핵심개념

① 등급 노트

TIP

밑면의 넓이와 높이가 같은 기둥과 뿔의 부피의 비는 항상 3 : 1이다.

TIP

뿔대를 바로 구하는 공식은 없다!

풀이전략

구가 꼭 맞게 들어가는 도형은 구의 반지름의 길이를 이용하여 밑면의 반지름의 길이와 높이를 구할 수 있다.

유형 1 기둥의 부피

난이도 ★

(1) (기둥의 부피)=(밑넓이)×(높이)

(2) 각기둥의 밑넓이는 삼각형 또는 사각형으로 나누어 구한다.

(3) 밑면의 반지름의 길이가 r, 높이가 h인 원기둥의 부피는 $\pi r^2 h$이다.

유형 2 뿔의 부피

난이도 ★

(1) (뿔의 부피)=$\dfrac{1}{3}$×(밑넓이)×(높이)

(2) 밑면인 원의 반지름의 길이가 r, 높이가 h인 원뿔의 부피는 $\dfrac{1}{3}\pi r^2 h$이다.

유형 3 뿔대의 부피

난이도 ★★★

뿔대의 부피는 큰 뿔의 부피에서 작은 뿔의 부피를 빼서 구한다.

 = − | = −

유형 4 구의 부피

난이도 ★★

(1) 반지름의 길이가 r인 구의 부피는 $\dfrac{4}{3}\pi r^3$이다.

(2) 오른쪽 그림과 같이 원기둥 안에 원뿔과 구가 꼭 맞게 들어갈 때, 다음이 성립한다.

(원뿔의 부피) : (구의 부피) : (원기둥의 부피)

$=\dfrac{2}{3}\pi r^3 : \dfrac{4}{3}\pi r^3 : 2\pi r^3 = 1 : 2 : 3$

여러 가지 입체도형의 부피

풀이전략

입체도형이 여러 개 있는 경우 각각의 부피를 구하여 더하면 전체 부피를 구할 수 있다.
그러나 겉넓이를 구할 때에는 겉넓이에서 면이 사라지거나 중복되는 경우를 고려하여 구한다.

(1) 여러 도형 조각으로 나누어서 각각의 부피를 구하여 더한다.

(2) 기존 도형에서 삭제되는 부분을 뺀다.

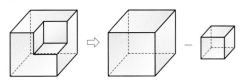

(3) 대칭을 이용한다.

부피의 활용 – 물 채우기

(1) 그릇에 물을 담아 다른 그릇을 채우는 경우
 ① 물을 담는 그릇의 부피를 구한다.
  즉, 1회 옮길 수 있는 물의 부피를 구한다.
 ② n회 물을 옮겼을 때, 물이 채워질 그릇의 밑넓이와 높이를 구한다.

(2) 그릇을 기울일 경우
 ① 기울어진 상태의 물의 부피를 구한다.
 ② 기울어지지 않은 상태의 물의 부피를 구한다.
 ③ 두 가지 상태를 비교하여 방정식을 세운다.

(3) 물이 담긴 그릇에 어떤 입체도형을 넣거나 뺄 경우
 ① 새로 넣는 입체도형의 부피만큼 물의 높이가 올라간다.
 ② 제거하는 입체도형의 부피만큼 물의 높이가 내려간다.

부피의 활용 – 쇠 녹이기

쇠공을 녹여 하나를 여러 개로 만드는 경우 (또는 쇠공을 녹여 여러 개를 하나로 만드는 경우)
 ① 기존의 쇠공 1개의 부피를 구한다.
 ② 새로 만드는 쇠공 1개의 부피를 구한다.
 ③ 기존의 쇠공의 부피와 새로 만드는 쇠공의 부피를 비교한다.

01

오른쪽 그림과 같은 입체도형의
부피는?

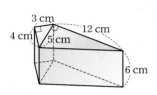

① 180 cm³

② 192 cm³

③ 204 cm³

④ 216 cm³

⑤ 228 cm³

02

오른쪽 그림과 같은 입체도형의 부피는?

① 12π cm³   ② 24π cm³

③ 36π cm³   ④ 48π cm³

⑤ 60π cm³

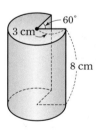

03

반지름의 길이가 6 cm인 반구의 부피는?

① 108π cm³   ② 144π cm³   ③ 180π cm³

④ 216π cm³   ⑤ 288π cm³

04

오른쪽 그림과 같은 도형을 직선 l을 축으로
하여 1회전 시킬 때 생기는 입체도형의 부피
는?

① 72π cm³   ② 74π cm³

③ 76π cm³   ④ 78π cm³

⑤ 80π cm³

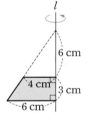

05

밑면인 원의 반지름의 길이가 6 cm, 높이가 8 cm인 원뿔 모양의 쇠를 녹여 반지름의 길이가 2 cm인 쇠공을 만들 때, 만들 수 있는 쇠공의 최대 개수는?

① 6개　　　② 7개　　　③ 8개
④ 9개　　　⑤ 10개

07

지름의 길이가 20 cm인 반원을 옆면으로 갖는 원뿔의 부피가 50π cm³이다. 이 원뿔의 높이는?

① 6 cm　　　② 8 cm　　　③ 9 cm
④ 10 cm　　　⑤ 12 cm

06

다음은 어떤 입체도형의 전개도를 나타낸 것이다. 이 전개도로 만든 입체도형의 부피는?

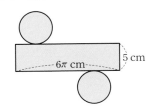

① 15π cm³　　　② 30π cm³　　　③ 45π cm³
④ 60π cm³　　　⑤ 75π cm³

08

오른쪽 그림은 밑면의 반지름의 길이가 3 cm이고 높이가 4 cm인 원기둥에서 정사각기둥 모양의 구멍을 뚫은 입체도형이다. 이 입체도형의 부피를 $(a\pi+b)$ cm³라고 할 때, $a+b$의 값은? (단, a, b는 유리수이다.)

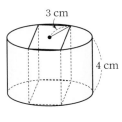

① -72　　　② -36　　　③ 36
④ 72　　　⑤ 108

09

다음 그림과 같이 한 모서리의 길이가 6 cm인 정사각뿔 모양의 그릇에 물을 가득 채워 한 모서리의 길이가 6 cm인 정육면체 모양의 그릇에 두 번 부었더니 물이 넘치지도 않고 가득 찼다. 정사각뿔 모양의 그릇의 높이는? (단, 그릇의 두께는 생각하지 않는다.)

① 3 cm   ② 6 cm   ③ 9 cm
④ 12 cm   ⑤ 15 cm

10

오른쪽 그림과 같은 정사각뿔대의 부피는?

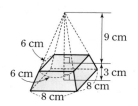

① 148 cm³
② 158 cm³
③ 168 cm³
④ 178 cm³
⑤ 188 cm³

11

오른쪽 그림은 한 모서리의 길이가 6 cm인 정육면체의 일부를 잘라낸 것이다. 이 입체도형의 부피는?

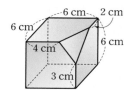

① 192 cm³
② 200 cm³
③ 204 cm³
④ 208 cm³
⑤ 212 cm³

12

오른쪽 그림과 같이 원기둥의 한 가운데에 원뿔이 놓여 있다. 이 입체도형에 대한 다음 설명 중 옳지 않은 것은?

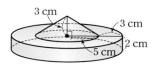

① 회전축에 수직인 평면으로 자른 단면은 항상 원이다.
② 회전축에 수직인 평면으로 자른 단면의 넓이는 최대 64π cm²이다.
③ 회전축을 포함하는 평면으로 자른 단면의 넓이는 47cm²이다.
④ 이 입체도형의 부피는 원뿔의 부피와 원기둥의 부피의 합과 같다.
⑤ 이 입체도형의 겉넓이는 원뿔의 겉넓이와 원기둥의 겉넓이의 합과 같다.

13

오른쪽 그림과 같은 평면도형을 직선 l을 축으로 하여 1회전 시킬 때 생기는 입체도형의 부피를 a cm^{3}라고 하자. $3a$의 값은?

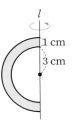

① 12π ② 32π

③ 148π ④ 180π

⑤ 220π

14

다음 물음에 답하시오.

(1) 밑넓이가 30 cm^{2}이고 부피가 120 cm^{3}인 오각뿔의 높이를 구하시오.

(2) 높이가 5 cm이고 부피가 15π cm^{2}인 원기둥의 밑넓이를 구하시오.

15

오른쪽 그림과 같이 구의 지름의 길이를 한 모서리의 길이로 하는 정육면체에 대하여 구와 정육면체의 부피의 비는?

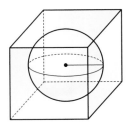

① $\pi : 2$ ② $\pi : 3$

③ $\pi : 4$ ④ $\pi : 5$

⑤ $\pi : 6$

16

오른쪽 그림과 같이 밑면의 반지름의 길이가 2 cm인 원기둥 모양의 통 안에 크기가 같은 구 3개가 꼭 맞게 들어 있다. 이 원기둥 모양의 통 속에 물을 부어 빈 공간을 채우려고 할 때, 필요한 물의 부피는? (단, 통의 두께는 생각하지 않는다.)

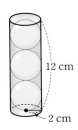

① 12π cm^3 ② 16π cm^3

③ 20π cm^3 ④ 24π cm^3

⑤ 28π cm^3

01

한 모서리의 길이가 6 cm인 정육면체의 각 모서리의 중점을 연결하여 잘라낸 도형은 다음과 같다. 이 입체도형의 부피는?

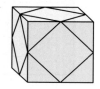 

① 140 cm³   ② 150 cm³   ③ 160 cm³
④ 170 cm³   ⑤ 180 cm³

02

오른쪽 그림과 같은 평면도형을 직선 l을 축으로 하여 1회전 시킬 때 생기는 입체도형의 부피를 $\dfrac{a}{b}\pi$ cm³라고 하자. $a-b$의 값은? (단, a, b는 서로소인 자연수이다.)

① 53   ② 57
③ 61   ④ 65
⑤ 69

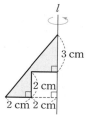

03

다음 조건을 만족하는 원기둥의 높이는?

> (가) 밑면의 반지름의 길이는 3 cm이다.
> (나) 원기둥의 겉넓이를 a cm², 원기둥의 부피를 b cm³라고 하면 $a=b$이다.

① 3 cm   ② 4 cm   ③ 5 cm
④ 6 cm   ⑤ 7 cm

04

오른쪽 그림과 같이 물이 들어 있는 원기둥 모양의 그릇에 크기가 같은 구 모양의 공 2개를 물에 완전히 잠기도록 넣었다. 공을 넣은 후의 물의 높이는? (단, 그릇의 두께는 생각하지 않는다.)

① 9 cm   ② 10 cm
③ 11 cm   ④ 12 cm
⑤ 13 cm

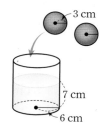

05

다음 조건을 만족하는 회전체의 부피는?

> (가) 회전축에 수직인 평면으로 자를 때 생기는 단면의 모양
> 은 원이고, 그 넓이는 항상 25π cm²이다.
> (나) 회전축을 포함하는 평면으로 자를 때 생기는 단면의 모
> 양은 직사각형이고, 그 넓이는 항상 30 cm²이다.

① 75π cm³   ② 100π cm³   ③ 125π cm³
④ 150π cm³   ⑤ 200π cm³

06

정육면체 모양인 (가) 도형을 다음 그림과 같이 27등분한 것이
(나) 도형이라고 하자. (나) 도형의 전체 겉넓이의 합은 (가) 도
형의 겉넓이의 a배, (나) 도형의 전체 부피의 합은 (가) 도형의
부피의 b배라고 할 때, $a+b$의 값을 구하시오.

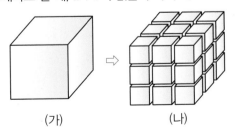

(가)   (나)

07

오른쪽 그림과 같이 원기둥 안에 구가 꼭 맞
게 들어 있을 때, (원뿔의 부피) : (구의 부
피) : (원기둥의 부피)를 가장 간단한 정수
의 비로 나타내시오.

(단, 점 O는 구의 중심이다.)

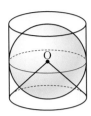

08

두께가 1 cm인 나무 판자로 오른쪽 그
림과 같은 직육면체 모양의 쓰레기통을
만들었다. 바깥 크기를 재었더니 가로,
세로, 높이가 각각 12 cm, 12 cm,
16 cm였을 때, 이 쓰레기통의 내부의
부피는?

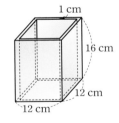

① 1400 cm³   ② 1500 cm³   ③ 1600 cm³
④ 1815 cm³   ⑤ 2304 cm³

09

오른쪽 그림은 원기둥을 평면으로 비스듬하게 잘라낸 입체도형이다.
이 입체도형의 부피는?

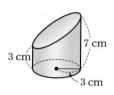

① 36π cm^3 ② 45π cm^3
③ 54π cm^3 ④ 72π cm^3
⑤ 90π cm^3

10

다음 조건을 만족하는 상수 a, b에 대하여 $a+b$의 값은?

> (가) 구의 겉넓이는 구와 반지름의 길이가 같은 원의 넓이의 a배이다.
> (나) 기둥의 부피는 기둥과 밑넓이와 높이가 각각 같은 뿔의 부피의 b배이다.

① 3   ② 4   ③ 5
④ 6   ⑤ 7

11

오른쪽 그림과 같은 원뿔대의 부피가 175π cm^{3}일 때, x의 값은?

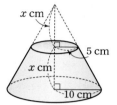

① 3   ② 4
③ 5   ④ 6
⑤ 7

12

다음의 두 상자 A, B의 가격이 같을 때, 어떤 상자를 사는 것이 유리한지 구하시오. (단, 사과는 구 모양이고 사과의 상태는 모두 같으며 크기만 다르다.)

> [상자 A] 반지름의 길이가 3 cm인 사과가 10개 들어 있다.
> [상자 B] 반지름의 길이가 6 cm인 사과가 3개 들어 있다.

13

오른쪽 그림과 같은 원뿔 모양의 그릇에 1분당 3π cm³씩 물을 담으려고 한다. 빈 그릇에 물을 완전히 채우려면 몇 분이 걸리겠는가?

(단, 그릇의 두께는 생각하지 않는다.)

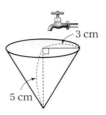

① 4분 ② 5분
③ 6분 ④ 7분
⑤ 8분

14

오른쪽 그림과 같은 도형을 직선 l을 회전축으로 하여 1회전 시킬 때 생기는 입체도형의 부피는?

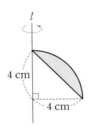

① $\dfrac{32}{3}\pi$ cm³ ② $\dfrac{64}{3}\pi$ cm³

③ $\dfrac{128}{3}\pi$ cm³ ④ 64π cm³

⑤ 128π cm³

15

오른쪽 그림과 같은 입체도형의 부피는?

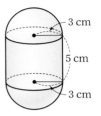

① 45π cm³ ② 63π cm³
③ 81π cm³ ④ 108π cm³
⑤ 153π cm³

16

다음 그림과 같은 직육면체 모양의 두 물통 A, B에 남아 있는 물의 양이 같을 때, x의 값은?

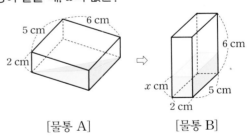

[물통 A]   [물통 B]

① 1 ② 2 ③ 3
④ 4 ⑤ 5

01

오른쪽 그림과 같이 한 모서리의 길이가 6 cm인 정육면체의 각 면의 한가운데 점을 연결하면 정팔면체가 된다. 이 정팔면체의 부피는?

① 9 cm³   ② 18 cm³   ③ 27 cm³

④ 36 cm³   ⑤ 45 cm³

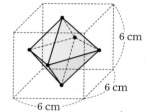

02

다음 그림과 같이 밀폐된 모양의 물통에 물이 담겨 있다. 이 물통을 뒤집었을 때, 물의 높이는?

(단, 물통의 두께는 생각하지 않는다.)

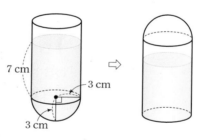

① 8 cm   ② 9 cm   ③ 10 cm   ④ 11 cm   ⑤ 12 cm

03

어떤 회전체를 회전축을 포함하는 평면으로 자른 단면이 오른쪽 그림과 같을 때, 이 도형의 부피는?

① 20π cm³   ② 25π cm³   ③ 30π cm³

④ 35π cm³   ⑤ 40π cm³

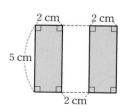

04

다음 그림은 직육면체에서 작은 직육면체를 잘라내어 'HI' 모양의 조형물을 만든 것이다. 이 조형물의 부피를 구하시오.

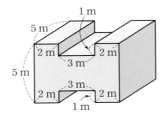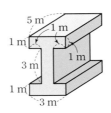

05

오른쪽 그림과 같이 원기둥 안에 구와 원뿔이 꼭 맞게 들어 있다. 원기둥의 부피가 54π cm³일 때, 구의 부피와 원뿔의 부피의 합은?

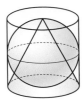

① 18π cm³　　　② 36π cm³　　　③ 54π cm³
④ 72π cm³　　　⑤ 90π cm³

06

오른쪽 그림과 같이 칸막이가 있는 직육면체 모양의 그릇에 물이 들어 있다. 이 칸막이를 뺄 때, 물의 높이는? (단, 그릇과 칸막이의 두께는 생각하지 않는다.)

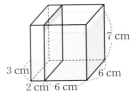

① 4 cm　　　② 4.5 cm　　　③ 5 cm
④ 5.5 cm　　　⑤ 6 cm

07

부피 10π cm³에 800원씩 받는 케이크 가게에서 오른쪽 그림과 같은 조각 케이크 3조각을 사려고 한다. 이때 지불해야 할 돈은 얼마인지 구하시오.

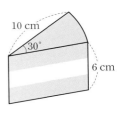

01

오른쪽 그림과 같이 한 모서리의 길이가 9 cm인 정육면체에서 네 꼭짓점을 연결하여 사면체를 만들 때, 이 사면체의 부피는?

① 81 cm³   ② 243 cm³   ③ 324 cm³

④ 405 cm³   ⑤ 486 cm³

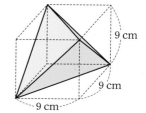

02

오른쪽 그림과 같이 한 변의 길이가 12 cm인 정사각형을 접어서 입체도형을 만들려고 한다. 다음 물음에 답하시오.

⑴ 입체도형의 겉넓이를 구하시오.

⑵ 입체도형의 부피를 구하시오.

⑶ 입체도형의 밑면이 삼각형 AEF일 때, 높이를 구하시오.

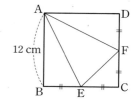

03

다음 그림의 두 입체도형 (가), (나)는 한 모서리의 길이가 12 cm인 정육면체를 두 방법 A, B로 구멍을 뚫은 것이다. 이 두 입체도형의 겉넓이의 차가 18π cm²일 때, 두 도형의 부피의 차를 구하시오. (단, $r>0$이고 뚫은 구멍은 구의 일부이다.)

> [방법 A] 각 모서리의 중점을 중심으로 하고 반지름의 길이가 r cm인 반원을 각 면에 그린 후 그 선을 따라 구멍을 뚫는다.
> [방법 B] 각 꼭짓점을 중심으로 하고 반지름의 길이가 r cm인 사분원을 각 면에 그린 후 그 선을 따라 구멍을 뚫는다.

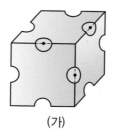

(가)

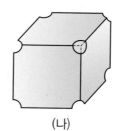

(나)

04

오른쪽 그림과 같이 한 모서리의 길이가 10 cm인 정육면체가 있다. 이 정육면체의 한 모서리의 중점에 잠자리 한 마리가 4 cm 길이의 실로 묶여 있다. 잠자리가 최대한 날아다닐 수 있는 영역의 부피는?

(단, 실의 두께와 매듭의 길이, 잠자리의 크기는 생각하지 않는다.)

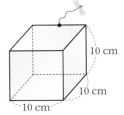

① $\dfrac{64}{3}\pi$ cm³ 　　② $\dfrac{128}{3}\pi$ cm³ 　　③ 64π cm³

④ $\dfrac{224}{3}\pi$ cm³ 　　⑤ $\dfrac{256}{3}\pi$ cm³

05

오른쪽 그림은 밑면의 반지름의 길이가 1 cm인 세 원기둥을 나란히 붙인 후 비스듬하게 자른 입체도형이다. 이 입체도형의 부피는?

① 9π cm³ 　　② 18π cm³ 　　③ 27π cm³

④ 36π cm³ 　　⑤ 45π cm³

06

오른쪽 그림과 같이 반지름의 길이가 r cm인 구 안에 정팔면체가 꼭 맞게 들어 있다. 구의 부피를 a cm³, 정팔면체의 부피를 b cm³라고 할 때, $\dfrac{a}{b}$의 값을 구하시오.

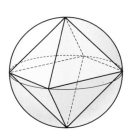

07

오른쪽 그림과 같이 직육면체 안에 밑면의 반지름의 길이가 1 cm, 높이가 3 cm인 원기둥이 들어 있다. 이 원기둥의 두 밑면이 각각 면 ABCD, 면 EFGH 위에서 움직일 때, 원기둥이 움직일 수 있는 공간의 최대 부피를 구하시오.

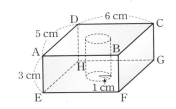

01

다음 중 입체도형의 꼭짓점의 개수가 가장 많은 것은?

① 정사면체
② 삼각뿔대
③ 사각뿔
④ 사각기둥
⑤ 정팔면체

02

한 꼭짓점에 모인 면의 개수가 5개인 정다면체에 대한 다음 설명 중 옳지 <u>않은</u> 것은?

① 모서리의 개수는 20개이다.
② 꼭짓점의 개수는 12개이다.
③ 모든 면이 합동인 정삼각형이다.
④ 어느 방향에서 보아도 모양이 같다.
⑤ 정다면체 중 면의 개수가 가장 많다.

03

오른쪽 그림과 같은 도형을 직선 l을 축으로 하여 1회전 시킬 때 생기는 회전체의 겉넓이는?

① $65\pi \text{ cm}^2$
② $69\pi \text{ cm}^2$
③ $73\pi \text{ cm}^2$
④ $77\pi \text{ cm}^2$
⑤ $81\pi \text{ cm}^2$

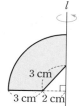

04

중심각의 크기가 $90°$이고 넓이가 $9\pi \text{ cm}^2$인 부채꼴이 옆면이 되게 원뿔을 만들려고 한다. 이 원뿔의 밑면의 넓이가 $\dfrac{a}{b}\pi \text{ cm}^2$ 일 때, $a-b$의 값은? (단, a, b는 서로소인 자연수이다.)

① -5
② -3
③ 1
④ 3
⑤ 5

05

오른쪽 그림과 같은 원기둥 모양의 롤러를 사용하여 벽에 페인트칠을 하려고 한다. 롤러를 4바퀴 굴렸을 때, 칠할 수 있는 벽의 넓이는?

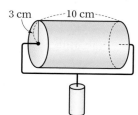

① $120\pi \text{ cm}^2$
② $180\pi \text{ cm}^2$
③ $240\pi \text{ cm}^2$
④ $300\pi \text{ cm}^2$
⑤ $360\pi \text{ cm}^2$

06

다음 그림은 겉넓이가 12 cm^2인 정육면체 14개를 쌓아서 만든 입체도형이다. 이 입체도형의 겉넓이를 구하시오.

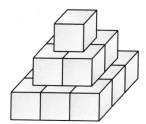

07

다음 입체도형의 부피를 구하시오.

(1)

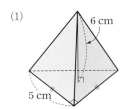

(2)

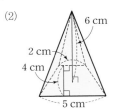

08

오른쪽 그림은 반지름의 길이가 3 cm인 구의 $\frac{1}{8}$을 잘라낸 것이다. 이 입체도형의 겉넓이와 부피를 각각 구하시오.

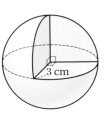

09

오른쪽 그림과 같이 밑면의 반지름의 길이가 6 cm, 높이가 9 cm인 원뿔 모양의 빈 그릇에 일정한 속력으로 물을 채우려고 한다. 이 그릇의 3 cm 높이까지 물을 채우는데 2초가 걸렸을 때, 남은 부분에 물을 가득 채우려면 앞으로 몇 초가 더 걸리겠는지 구하시오.

(단, 그릇의 두께는 생각하지 않는다.)

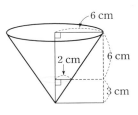

10

오른쪽 그림과 같이 원기둥 안에 꼭 맞는 구와 원뿔이 있다. 다음 보기에서 옳은 것을 모두 고르시오.

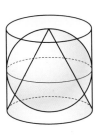

┤ 보기 ├

ㄱ. 세 입체도형은 회전축이 모두 같다.

ㄴ. 원뿔을 회전축을 포함하는 평면으로 자른 단면은 정삼각형이다.

ㄷ. 구의 겉넓이는 원기둥의 옆넓이와 같다.

ㄹ. 구의 부피와 원뿔의 부피의 합은 원기둥의 부피와 같다.

8 자료의 정리와 해석

고난도 대표유형 · 핵심개념

유형 1   줄기와 잎 그림

난이도
★

(1) **변량** : 나이, 점수, 키 등의 자료를 수량으로 나타낸 것

(2) **줄기와 잎 그림** : 오른쪽 그림과 같이 세로선에 의해 줄기와
잎을 구별하고, 이를 이용하여 자료를 정리한 그림

수학 성적

(7|2는 72점)

줄기	잎
7	2 5
8	2 6 9
9	2 3 5 7

(3) **줄기와 잎 그림을 그리는 순서**

① 가장 작은 변량과 가장 큰 변량을 찾아 줄기를 정한다.
② 줄기는 변량의 큰 자리의 수로, 잎은 나머지 자리의 수로 정한다.
③ 세로선을 그어 세로선의 왼쪽에 줄기를 세로로 나열하고, 세로선의 오른쪽에 잎을 가로로
나열한다.
④ 중복된 자료의 값은 중복된 횟수만큼 쓴다.

예   〈자료〉

(단위 : cm)

161	158	172	173
160	182	159	161
177	165		

⇨

키

(15|8은 158 cm)

줄기	잎
15	8 9
16	0 1 1 5
17	2 3 7
18	2

(4) **줄기와 잎 그림 특징**

① 자료의 분포 상태를 쉽게 알아볼 수 있고, 자료의 정확한 값도 쉽게 파악할 수 있다.
② 변량의 개수가 적을 때 편리하며 자료를 크기 순으로 정리하기에 용이하다.
③ 자료의 자릿수가 많거나 자료의 폭이 클 때에는 줄기의 개수가 너무 많아질 수 있어 불편하다.

---

1 등급 노트

풀이전략

줄기와 잎 그림에서 '1|4는
14g'과 같이 줄기와 잎의 단위
를 파악하는 것이 필수이다.

주의

줄기와 잎 그림에서 중복되는
값을 한 번만 쓰면 안 된다. 반드
시 중복된 횟수만큼 써야 한다.

난이도
★★

(1) **계급** : 변량을 일정한 간격으로 나눈 구간

(2) **계급의 크기** : 계급의 양 끝값의 차, 즉 구간의 너비

(3) **계급의 개수** : 변량을 나눈 구간의 수

(4) **계급값** : 계급을 대표하는 값으로서 각 계급의 가운데 값

$$(계급값) = \frac{(계급의\ 양\ 끝값의\ 합)}{2}$$

(5) **도수** : 각 계급에 속하는 자료의 개수

(6) **도수분포표** : 전체 자료를 몇 개의 계급으로 나누고, 각 계급의 도수를 조사하여 나타 낸 표

오답노트

계급은 일반적으로 'a 이상 b 미 만'으로 나뉜다. 경계에 있는 변 량에 대해 주의하자.

TIP

계급, 계급의 크기, 계급값, 도수 는 항상 단위를 붙여서 쓴다.

예

〈자료〉

(단위 : cm)

3	6	10	12
7	5	18	14
9	13		

⇒

〈도수분포표〉

계급(cm)	도수(명)
0이상 ~ 4미만	1
4 ~ 8	3
8 ~ 12	2
12 ~ 16	3
16 ~ 20	1
합계	10

(7) **도수분포표 만드는 방법**

① 자료에서 가장 큰 변량과 가장 작은 변량을 찾는다.

② 계급의 크기를 정한다.

③ 계급을 구간별로 나눈다.

④ 각 계급에 속하는 변량을 조사하여 계급의 도수를 구한다.

(8) **도수분포표의 특징**

① 자료의 분포의 특징을 잘 나타내려면 계급의 크기를 적절히 정해야 한다.

– 계급의 개수가 너무 적거나 너무 많으면 분포 상태를 알아보기 어렵다.

② 일반적으로 계급의 크기는 모두 같게 하고, 계급의 개수는 보통 5~15개로 한다.

③ 변량의 개수가 많을 때 편리하다.

④ 변량의 정확한 값은 알 수 없다.

유형 3　히스토그램

난이도
★★

(1) **히스토그램** : 도수분포표의 각 계급을 가로로, 도수를 세로로 하여 직사각형으로 나타낸 그래프

(2) **히스토그램 그리는 방법**

① 가로축에 각 계급의 양 끝값을 적는다.

② 세로축에 도수를 적는다.

③ 각 계급에서 계급의 크기를 가로로 하고, 도수를 세로로 하는 직사각형을 그린다.

예　　　　〈도수분포표〉　　　　　　　　　　〈히스토그램〉

시간(분)	학생 수(명)
0이상 ～ 3미만	2
3 ～ 6	3
6 ～ 9	1
합계	6

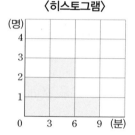

(3) **히스토그램의 특징**

① 히스토그램으로 나타내면 각 계급에 속하는 자료의 개수가 많고 적음을 한눈에 알 수 있어 자료의 분포 상태를 알아보기 편리하다.

② 히스토그램의 각 직사각형에서 가로의 길이인 계급의 크기가 같으므로 각 직사각형의 넓이는 세로의 길이인 계급의 도수에 정비례한다.

유형 4　도수분포다각형

난이도
★★

(1) **도수분포다각형** : 각 계급의 가운데 값에 도수를 대응시켜서 만든 그래프

(2) **도수분포다각형 그리는 방법**

① 히스토그램에서 각 직사각형의 윗변의 중점에 점을 찍는다.

② 히스토그램의 양 끝에 도수가 0인 계급이 있는 것으로 생각하고 그 중앙에 점을 찍는다.

③ 위에서 찍은 점을 선분으로 연결한다.

예　　　　〈히스토그램〉　　　　　　　　　〈도수분포다각형〉

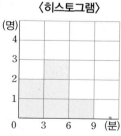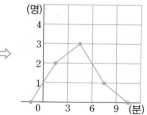

(3) **도수분포다각형의 특징**

① 도수분포다각형과 가로축으로 둘러싸인 도형의 넓이는 히스토그램의 직사각형의 넓이의 합과 같다.

② 도수분포다각형은 두 개 이상의 자료에 대한 분포를 함께 나타낼 수 있어 자료에 대한 분포의 특징을 비교할 때 편리하다.

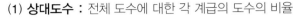

TIP

'거리/시간/속력'처럼 '상대도수, 그 계급의 도수, 도수의 총합' 중 2가지를 알면 나머지 하나를 구할 수 있다.

(1) **상대도수** : 전체 도수에 대한 각 계급의 도수의 비율

$$(\text{어떤 계급의 상대도수}) = \frac{(\text{그 계급의 도수})}{(\text{전체 도수})}$$

① $(\text{어떤 계급의 도수}) = (\text{전체 도수}) \times (\text{그 계급의 상대도수})$

② $(\text{전체 도수}) = \dfrac{(\text{그 계급의 도수})}{(\text{어떤 계급의 상대도수})}$

(2) **상대도수의 특징**

① 도수가 전체에서 차지하는 비율을 알아보기 쉽다.

② 상대도수의 합은 항상 1이다.

③ 각 계급의 상대도수는 그 계급의 도수에 정비례한다.

④ 전체 도수가 다른 두 가지 이상의 자료의 분포 상태를 비교할 때 편리하다.

(3) **상대도수의 분포표** : 각 계급의 상대도수를 나타낸 표

예

수학 성적(점)	도수(명)	상대도수
70이상 ~ 80미만	2	$\frac{2}{10}=0.2$
80 ~ 90	5	$\frac{5}{10}=0.5$
90 ~ 100	3	$\frac{3}{10}=0.3$
합계	10	1

(4) **상대도수의 그래프** : 상대도수의 분포표를 히스토그램이나 도수분포다각형과 같은 모양으로 나타낸 그래프

(5) **상대도수의 그래프 그리기**

① 가로축에는 계급의 양 끝값을, 세로축에는 상대도수를 써넣는다.

② 히스토그램이나 도수분포다각형과 같은 모양으로 그린다.

예

수학 성적(점)	도수(명)	상대도수
70이상 ~ 80미만	2	0.2
80 ~ 90	5	0.5
90 ~ 100	3	0.3
합계	10	1

⇨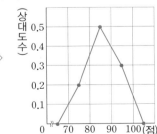

(6) **상대도수의 그래프의 활용**

① 전체 도수가 다른 두 자료를 하나의 상대도수의 그래프에 나타내어 비교하면 한 눈에 두 자료의 분포 상태를 쉽게 알 수 있다.

② 전체 도수가 다른 두 자료를 비교할 때에는 도수를 그대로 비교하지 않고 상대도수를 구하여 각 계급별로 비교한다.

[01-02] 아래 표는 정원이네 반 학생 21명의 일주일 동안의 컴퓨터 사용 시간을 조사하여 나타낸 것이다. 다음 물음에 답하시오.

컴퓨터 사용 시간

(단위: 시간)

5	17	26	22	12	15	40
30	41	13	14	21	36	9
28	31	12	33	8	12	2

01

십의 자리의 수를 줄기로 하고, 일의 자리의 수를 잎으로 하는 줄기와 잎 그림을 그리시오.

02

잎이 가장 많은 줄기를 구하시오.

[03-04] 아래 그림은 농구 선수 20명의 자유투 성공률을 조사하여 나타낸 줄기와 잎 그림이다. 다음 물음에 답하시오.

자유투 성공률

(5|1은 51 %)

줄기	잎				
5	1	1	6	8	9
6	2	2	3	9	
7	2	3	5	5	8
8	0	1	4	7	9
9	1				

03

자유투 성공률이 5번째로 높은 선수의 성공률은?

① 80 % ② 81 % ③ 84 %
④ 87 % ⑤ 89 %

04

자유투 성공률이 80 % 이상인 선수는 전체의 몇 %인가?

① 15 % ② 20 % ③ 25 %
④ 30 % ⑤ 35 %

[05-06] 아래 그림은 여러 도시의 한 달간 평균 기온을 조사하여 나타낸 줄기와 잎 그림이다. 다음 물음에 답하시오.

평균 기온

(0|7은 7℃)

줄기	잎
0	7 7 8
1	0 1 3 3 3 4 8
2	1 2 2 6 8

05

조사한 도시의 수는 몇 개인가?

① 12개   ② 13개   ③ 14개
④ 15개   ⑤ 16개

06

평균 기온이 20℃가 넘는 도시는 전체의 약 몇 %인가?

① 13 %   ② 27 %   ③ 33 %
④ 53 %   ⑤ 80 %

07

다음은 20명을 대상으로 어떤 영화의 평점을 조사하여 나타낸 도수분포표이다. $a : b = 1 : 3$일 때, 영화 평점을 7점 이상 준 사람은 전체의 몇 %인가?

영화 평점(점)	사람 수(명)
5이상 ~ 6미만	4
6 ~ 7	a
7 ~ 8	b
8 ~ 9	8
합계	20

① 40 %   ② 50 %   ③ 60 %
④ 70 %   ⑤ 80 %

08

도수의 총합이 다른 두 자료를 비교할 때 가장 편리한 것은?

① 줄기와 잎 그림   ② 도수분포표
③ 히스토그램   ④ 도수분포다각형
⑤ 상대도수의 분포표

[09-11] 아래 표는 준호네 반 학생들의 등교 시간을 조사하여 나타낸 도수분포표이다. 등교 시간이 10분 미만인 학생이 전체의 60 %일 때, 다음 물음에 답하시오.

등교 시간(분)	학생 수(명)
0이상 ~ 5미만	8
5 ~ 10	a
10 ~ 15	5
15 ~ 20	2
20 ~ 25	1
합계	b

09

$a+b$의 값은?

① 20   ② 24   ③ 28

④ 32   ⑤ 36

10

다음 중 옳지 않은 것은?

① 학생들의 정확한 등교 시간을 알 수 없다.

② 계급의 크기는 5분이다.

③ 등교 시간이 15분 이상인 학생 수는 전체의 10 %이다.

④ 도수가 가장 큰 계급의 도수는 8명이다.

⑤ 계급값이 가장 큰 계급에 속하는 학생 수는 전체의 5 %이다.

11

등교 시간이 7분인 학생 한 명이 다른 학교로 전학 갈 때, 다음 설명 중 옳은 것은?

① 등교 시간이 5분 이상 10분 미만인 계급의 도수는 바뀌지 않는다.

② 등교 시간이 15분 이상 20분 미만인 계급의 도수는 커진다.

③ 등교 시간이 10분 이상 15분 미만인 계급의 상대도수는 바뀌지 않는다.

④ 등교 시간이 10분 이상 15분 미만인 계급의 상대도수는 커진다.

⑤ 등교 시간이 15분 이상 20분 미만인 계급의 상대도수는 작아진다.

12

오른쪽 그림은 유니네 반 학생들이 1분 동안 한 윗몸 일으키기 횟수를 조사하여 나타낸 도수분포다각형이다. 다음 보기에서 옳은 것을 모두 고른 것은?

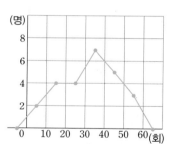

┤ 보기 ├

ㄱ. 계급의 크기는 10회이다.

ㄴ. 윗몸 일으키기 횟수가 50회 이상인 학생은 전체의 12 %이다.

ㄷ. 윗몸 일으키기 횟수가 20회 미만인 학생은 4명이다.

ㄹ. 가장 많은 학생들이 속해 있는 계급의 계급값은 7회이다.

① ㄱ, ㄴ   ② ㄱ, ㄷ   ③ ㄱ, ㄹ

④ ㄴ, ㄷ   ⑤ ㄴ, ㄹ

[13-15] 오른쪽 그림은 25명 학생들의 연간 봉사활동 시간을 조사하여 나타낸 히스토그램이다. 다음 물음에 답하시오.

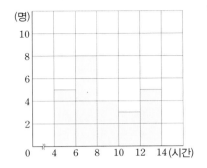

13

연간 봉사활동 시간이 10시간 이상인 학생은 전체의 몇 % 인가?

① 12 % ② 16 % ③ 20 %
④ 32 % ⑤ 48 %

14

계급의 크기를 a시간, 계급의 개수를 b개, 연간 봉사활동 시간을 6번째로 많이 한 학생이 속한 계급의 계급값을 c시간이라고 할 때, $2a+b+c$의 값은?

① 19 ② 20 ③ 21
④ 22 ⑤ 23

15

이 히스토그램을 이용하여 도수분포다각형을 그릴 때, 도수분포다각형과 가로축으로 둘러싸인 도형의 넓이는?

① 25 ② 30 ③ 35
④ 40 ⑤ 50

16

아래 표는 학생 20명의 발의 길이를 조사하여 나타낸 것이다. 다음 설명 중 옳지 않은 것은?

발의 길이 (mm)	상대도수
220이상 ~ 230미만	0.4
230 ~ 240	a
240 ~ 250	0.2
250 ~ 260	0.1
합계	b

① $a=0.3$이다.
② $b=1$이다.
③ 발의 길이가 237 mm인 학생의 자료가 추가되면 a의 값은 바뀐다.
④ 발의 길이가 245 mm인 학생의 자료가 추가되면 a의 값은 바뀐다.
⑤ 발의 길이가 237 mm인 학생의 자료가 추가되면 b의 값은 바뀐다.

[01-03] 아래 자료는 서울의 25개 자치구별 치킨 전문점 개수를 조사한 것이다. 다음 물음에 답하시오.

자치구	치킨 전문점 개수	자치구	치킨 전문점 개수
강남구	295	서대문구	179
강동구	204	서초구	195
강북구	159	성동구	156
강서구	262	성북구	202
관악구	276	송파구	320
광진구	183	양천구	204
구로구	206	영등포구	195
금천구	142	용산구	117
노원구	261	은평구	239
도봉구	175	종로구	131
동대문구	197	중구	128
동작구	204	중랑구	183
마포구	254		

01

위의 자료를 바탕으로 도수분포표를 완성하시오.

치킨 전문점 개수(개)	자치구(개)
100이상 ~ 140미만	
140 ~ 180	
180 ~ 220	
220 ~ 260	
260 ~ 300	
300 ~ 340	
합계	

02

계급의 크기를 a개, 도수의 총합을 b개라고 할 때, $a+b$의 값은?

① 65   ② 66   ③ 67
④ 68   ⑤ 69

03

도수가 가장 큰 계급의 계급값을 a개, 계급값이 가장 큰 계급의 도수를 b개라고 할 때, $a-b$의 값은?

① 190   ② 196   ③ 197
④ 198   ⑤ 199

04

아래 그림은 어느 반 학생들이 한 달간 읽은 책의 수를 조사하여 나타낸 줄기와 잎 그림이다. 다음 설명 중 옳지 않은 것은?

읽은 책의 수

(0|5는 5권)

줄기	잎
0	5 5 8 9
1	0 1 3 3 3 5 8
2	1 7 8 9
3	0 0 4 5 6 6
4	1 3 4 5

① 잎이 가장 많은 줄기는 1이다.
② 조사에 응답한 학생 수는 25명이다.
③ 읽은 책의 수가 20권 이하인 학생은 15명이다.
④ 읽은 책의 수가 3번째로 많은 학생은 43권을 읽었다.
⑤ 읽은 책의 수가 가장 많은 학생과 가장 적은 학생이 읽은 책의 수의 차는 40권이다.

[05-06] 아래 그림은 남학생 15명과 여학생 15명의 수학 점수를 조사하여 나타낸 줄기와 잎 그림이다. 다음 물음에 답하시오.

수학 점수

(5|3은 53점)

잎(남학생)	줄기	잎(여학생)
8 3	5	5
9 7 6 2	6	5 5 5 8 9
5 0	7	4 7 8 8
9 9 9 4	8	3 6 8
9 4	9	1 a

05

다음 중 옳은 것은?

① 전체 학생 중 수학 점수가 가장 낮은 학생은 남학생이다.
② 여학생 중 가장 많이 중복된 수학 점수는 78점이다.
③ 수학 점수가 60점 이하인 학생은 남학생보다 여학생이 많다.
④ 수학 점수가 80점 이상인 학생은 남학생보다 여학생이 많다.
⑤ 남학생 중 수학 점수가 가장 높은 학생과 가장 낮은 학생의 점수의 차는 41점이다.

06

다음 두 조건을 만족할 때, 가능한 정수 a의 값의 합을 구하시오.

> (가) 전체 학생 중 수학 점수가 두 번째로 높은 학생은 여학생이다.
> (나) 전체 학생 중 1등부터 3등까지의 점수는 모두 다르다.

[07-08] 오른쪽 그림은 볼링 동호회 회원의 나이를 조사하여 나타낸 히스토그램과 도수분포다각형의 일부분이다.
50대인 회원들의 상대도수가 $\frac{3}{20}$일 때, 다음 물음에 답하시오.

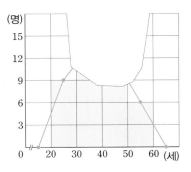

07

나이가 20대인 회원의 상대도수는?

① $\frac{9}{20}$ ② $\frac{3}{10}$ ③ $\frac{9}{40}$

④ $\frac{9}{50}$ ⑤ $\frac{3}{20}$

08

나이가 30대인 회원의 수가 40대인 회원의 수보다 1명 많을 때, 히스토그램의 가장 큰 직사각형의 넓이는 가장 작은 직사각형의 넓이의 $\frac{b}{a}$배이다. $a+b$의 값은?

(단, a, b는 서로소인 자연수이다.)

① 15   ② 17   ③ 19

④ 23   ⑤ 25

09

도수분포표를 히스토그램으로 나타낼 때, 다음 중 옳지 <u>않은</u> 것은?

① 가로축에 각 계급의 양 끝값을 쓴다.

② 세로축에 도수를 쓴다.

③ 직사각형의 가로의 길이는 계급의 크기와 같다.

④ 직사각형의 세로의 길이는 계급값과 같다.

⑤ 히스토그램의 각 직사각형의 넓이는 계급의 도수에 정비례한다.

[10-12] 오른쪽 그림은 A, B 두 상자에 들어 있는 사과의 무게를 각각 조사하여 도수분포다각형으로 나타낸 것이다. 다음 물음에 답하시오.

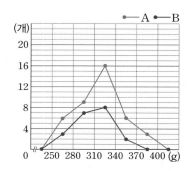

10

A, B 두 상자에 들어 있는 사과의 개수를 바르게 구한 것은?

	A 상자	B 상자
①	30개	15개
②	30개	20개
③	30개	25개
④	40개	20개
⑤	40개	25개

11

다음 중 A, B 두 상자에 대하여 두 값이 같은 것은?

① 사과의 무게가 310 g 미만인 계급의 도수

② 사과의 무게가 370 g 이상인 계급의 도수

③ 사과의 무게가 310 g 이상 340 g 미만인 계급의 상대도수

④ 사과의 무게가 340 g 이상 370 g 미만인 계급의 상대도수

⑤ 사과의 무게가 280 g 이상 310 g 미만인 계급의 도수

12

A, B 두 상자에 들어 있는 사과를 한 상자로 합쳤을 때, 사과의 무게가 280 g 미만인 계급의 상대도수는?

① 0.1 　　　② 0.15 　　　③ 0.2

④ 0.25 　　　⑤ 0.3

13

다음 도수분포표는 어느 반 학생들의 평균 수면 시간을 조사하여 나타낸 것이다. 수면 시간이 8시간 이상인 학생이 전체의 20 %일 때, a의 값은?

수면 시간(시간)	도수(명)
4이상 ~ 5미만	1
5 ~ 6	a
6 ~ 7	8
7 ~ 8	11
8 ~ 9	6
9 ~ 10	
합계	35

① 4 　　② 5 　　③ 6
④ 7 　　⑤ 8

14

오른쪽 그림은 어느 중학교 학생 30명의 한 달 동안의 사교육 비용을 조사하여 나타낸 도수분포다각형인데 일부가 지워져 보이지 않는다. 사교육 비용이 40만 원 이상인 학생 수와 40만 원 미만인 학생 수의 비가 1 : 4일 때, 사교육 비용이 30만 원 이상 40만 원 미만인 학생 수는?

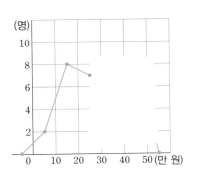

① 3명 　　② 4명 　　③ 5명
④ 6명 　　⑤ 7명

[15-16] 아래 표는 예영이네 반 학생들이 일주일 동안 대중교통을 이용한 횟수를 조사하여 나타낸 도수분포표의 일부이다. 다음 물음에 답하시오.

이용 횟수(회)	도수(명)	상대도수
0이상 ~ 5미만	10	0.4
5 ~ 10	6	a
⋮	⋮	⋮
합계	b	c

15

위의 도수분포표에 대한 설명으로 다음 중 옳지 않은 것은?

① $a=0.24$
② $b+c=26$
③ 계급의 크기는 5회이다.
④ 대중교통을 5회 이용한 학생이 속하는 계급의 도수는 10명이다.
⑤ 대중교통을 한 번도 이용하지 않은 학생이 속하는 계급의 계급값은 2.5회이다.

16

위의 표가 다음 조건을 모두 만족할 때, 계급값이 12.5회인 계급의 도수를 구하시오.

(가) 계급의 개수는 5개이다.
(나) 계급값이 커지면 상대도수는 작아진다.
(다) 대중교통을 가장 많이 이용한 학생이 속한 계급의 상대도수는 0.04이다.

[01-02] 아래 그림은 N중학교 1학년과 2학년 학생들의 반별 단체 줄넘기 횟수를 정리하여 나타낸 줄기와 잎 그림이다. 다음 물음에 답하시오.

단체 줄넘기 횟수

(0|5는 5회)

잎(1학년)	줄기	잎(2학년)
6	0	5 6 9
9 9 5 3	1	4 4 7 8
8 6 2	2	1 8 9

01

다음 중 위 그림에 대한 설명으로 옳지 않은 것은?

① 1학년은 8개 반이다.
② 1학년 우승반보다 2학년 우승반이 더 잘하였다.
③ 잎이 가장 많은 줄기는 1학년과 2학년 모두 1이다.
④ 줄넘기 횟수가 10회 미만인 반은 1학년이 2학년보다 많다.
⑤ 2학년 중에서 줄넘기 횟수가 4번째로 높은 반의 변량은 18회이다.

02

줄넘기 횟수가 18회인 반은 2학년에서 상위 a %이고, 1, 2학년 전체에서 상위 b %이다. 이때 $a+b$의 값은?

① 60　　　　② 70　　　　③ 80　　　　④ 90　　　　⑤ 100

03

A반의 학생 수는 60명, B반의 학생 수는 40명이고, A반과 B반에서 남학생의 상대도수는 각각 0.6, 0.3이다. A반과 B반을 통합하였을 때, 전체 학생 수에 대한 여학생의 상대도수는?

① 0.24　　　　② 0.28　　　　③ 0.36　　　　④ 0.48　　　　⑤ 0.52

[04-05] 오른쪽 그림은 어느 도시의 미세먼지 오염도수($\mu g/m^3$)를 30일 동안 조사하여 나타낸 도수분포다각형인데 일부가 지워져 보이지 않는다.
미세먼지 오염도수가 36 $\mu g/m^3$ 이상인 날의 상대도수가 0.2일 때, 다음 물음에 답하시오.

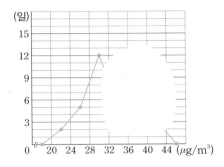

04

미세먼지 오염도수가 32 $\mu g/m^3$ 이상 36 $\mu g/m^3$ 미만인 날은 며칠인가?

① 5일   ② 6일   ③ 7일   ④ 8일   ⑤ 9일

05

위의 그림에서 가장 높은 꼭짓점에서 가로축에 수선을 내려 그래프를 두 부분으로 나눌 때, 두 부분의 넓이의 비를 가장 간단한 자연수의 비로 나타내시오.

06

오른쪽 표는 어느 중학교 1학년 남학생 30명과 여학생 40명의 영어 점수를 나타낸 도수분포표이다. 다음 중 옳지 않은 것은?

① 점수가 0점 이상 5점 미만인 계급의 상대도수는 남학생과 여학생이 같다.
② 점수가 5점 이상 10점 미만인 계급의 학생 수는 남학생보다 여학생이 더 많다.
③ 점수가 10점 이상인 학생의 비율은 남학생보다 여학생이 더 높다.
④ 17점을 받은 여학생은 여학생 중 상위 5% 이내에 든다.
⑤ 19점을 받은 남학생은 남학생 중 상위 20% 이내에 든다.

영어 점수(점)	도수(명)		상대도수	
	남	여	남	여
0이상 ~ 5미만	3			0.1
5 ~ 10			0.3	0.35
10 ~ 15				
15 ~ 20	6	2		
합계				

01

다음은 우리나라 시·도별 1인당 자동차 등록 대수를 조사하여 나타낸 것이다. 소수점 아래 둘째자리를 잎으로 하여 줄기와 잎 그림을 정리하려고 할 때, $100m + a + b$의 값을 구하시오.

시·도	자동차 등록 대수	시·도	자동차 등록 대수
서울시	0.32	경기도	0.44
인천시	0.55	강원도	0.51
대구시	0.49	충청북도	0.52
대전시	0.46	충청남도	0.53
울산시	0.49	전라북도	0.51
부산시	0.41	전라남도	0.57
광주시	0.46	경상북도	0.54
세종시	0.48	경상남도	0.51
제주도	0.89		

자동차 등록 대수

($3 \mid 2$는 m대)

줄기	잎
3	2
4	1 4 a 6 8 9 9
5	1 1 1 2 3 4 5 b
6	
7	
8	9

[02-03] 오른쪽 표는 10명의 학생의 쪽지시험 점수에서 형진이의 점수를 뺀 값을 나타낸 것이다. 다음 물음에 답하시오.

학생	{(점수) − (형진이의 점수)}
민지	−2
예성	0
영민	1
수현	−5
동주	−6
형진	0
정은	2
하늘	−5
종수	3
하연	9

02

다음 중 이 표에 대한 설명으로 옳지 않은 것은?

① 하연이의 점수는 상위 10 % 이내에 든다.
② 예성이의 점수와 형진이의 점수는 서로 같다.
③ 종수의 점수가 형진이의 점수보다 더 높다.
④ 형진이의 점수보다 낮은 점수를 받은 학생은 모두 4명이다.
⑤ 가장 높은 점수를 받은 학생과 가장 낮은 점수를 받은 학생의 점수 차이는 9점이다.

03

형진이의 점수를 계급값으로 하고, 계급의 크기가 4점인 히스토그램을 작성하려고 할 때, 다음 물음에 답하시오.

(1) 형진이와 같은 계급에 속하는 사람을 모두 나열하시오.

(2) 가장 큰 직사각형의 넓이는 가장 작은 직사각형 넓이의 몇 배인지 구하시오.

04

오른쪽 그림은 A반과 B반의 학생을 대상으로 온라인 수업에 대한 만족도를 조사하여 나타낸 상대도수의 그래프이다. 만족도가 8점 이상 9점 미만인 학생이 A반은 6명, B반은 2명일 때, 다음 보기 중 옳은 것을 모두 고른 것은?

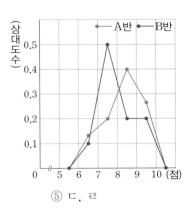

┤ 보기 ├
ㄱ. A반에서 만족도가 8점 미만인 학생은 A반 전체의 20 %이다.
ㄴ. B반에서 만족도가 8점 미만인 학생은 6명이다.
ㄷ. 만족도가 6점 이상 7점 미만인 학생의 비율은 B반이 A반보다 높다.
ㄹ. A반과 B반에서 만족도가 8점 이상 9점 미만인 학생은 전체 학생의 32 %이다.

① ㄱ   ② ㄴ   ③ ㄱ, ㄷ   ④ ㄴ, ㄹ   ⑤ ㄷ, ㄹ

05

다음은 1반부터 5반까지 학생들의 혈액형을 조사하여 나타낸 상대도수의 분포표의 일부이다.

혈액형	상대도수	
	1반	전체
A형	0.2	0.1
B형	0.3	
O형	0.4	0.5
AB형		
합계		

다음 조건을 모두 만족할 때, 전체 학생 중에서 혈액형이 B형인 학생은 모두 몇 명인지 구하시오.

(가) 1반에서 혈액형이 B형인 학생 수는 9명이다.
(나) 전체 학생 중에서 혈액형이 O형인 학생의 15 %는 1반 학생이다.
(다) 전체 학생 중에서 혈액형이 A형인 학생 수와 B형인 학생 수의 합은 AB형인 학생 수와 같다.

06

오른쪽 그림은 A반과 B반 학생들의 키를 조사하여 나타낸 도수분포다각형이다. 다음 설명 중 옳은 것은?

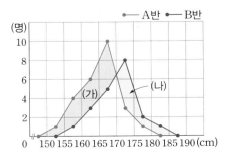

① A반보다 B반의 학생 수가 많다.
② (가)의 넓이와 (나)의 넓이는 같다.
③ 키가 165 cm 이상 170 cm 이하인 학생 수는 A반보다 B반이 많다.
④ 키가 175 cm 이상인 학생의 비율은 A반보다 B반이 높다.
⑤ A, B반 전체 학생 중에서 키가 가장 작은 학생은 B반에 있다.

[01-02] 아래 그림은 수아네 반 학생들의 몸무게를 조사하여 나타낸 줄기와 잎 그림이다. 줄기가 4인 학생의 수가 전체 학생의 30 %일 때, 다음 물음에 답하시오.

몸무게

(4|1은 41 kg)

줄기	잎
4	1 4 5 8 8 9
5	2 5 5 7 8
6	0 1 4 7
7	?

01

몸무게가 60 kg 이상인 학생들의 상대도수는?

① 0.3   ② 0.35   ③ 0.4

④ 0.45   ⑤ 0.5

02

몸무게가 7번째로 무거운 학생의 몸무게는?

① 58 kg   ② 60 kg   ③ 61 kg

④ 64 kg   ⑤ 67 kg

03

다음은 정빈이네 반 학생들의 100 m 달리기 기록을 조사하여 나타낸 도수분포표이다.

100 m 달리기 기록(초)	학생 수(명)
12이상 ~ 14미만	3
14 ~ 16	9
16 ~ 18	a
18 ~ 20	5
20 ~ 22	b
합계	

100 m 달리기 기록이 16초 미만인 학생이 전체의 40 %이고, 18초 이상인 학생이 전체의 30 %라고 할 때, $a+b$의 값은?

① 10   ② 11   ③ 12

④ 13   ⑤ 14

[04-05] 오른쪽 그림은 A반과 B반 학생들의 일주일 동안의 운동 시간을 조사하여 나타낸 도수분포다각형이다. 다음 물음에 답하시오.

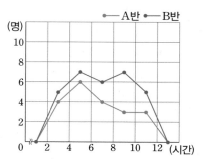

04

다음 보기에서 옳은 것을 모두 고른 것은?

┤ 보기 ├

ㄱ. 모든 계급의 도수는 B반이 A반보다 크다.

ㄴ. 도수분포다각형과 가로축으로 둘러싸인 넓이는 B반이 A반보다 크다.

ㄷ. 운동 시간이 2시간 이상 4시간 미만인 계급의 상대도수는 B반이 A반보다 크다.

ㄹ. 운동 시간이 8시간 이상 10시간 미만인 계급의 상대도수는 B반이 A반보다 크다.

① ㄱ, ㄷ   ② ㄴ, ㄹ   ③ ㄱ, ㄴ, ㄹ

④ ㄴ, ㄷ, ㄹ   ⑤ ㄱ, ㄴ, ㄷ, ㄹ

05

A반의 도수분포다각형과 B반의 도수분포다각형으로 둘러싸인 부분의 넓이는?

① 10   ② 15   ③ 20

④ 25   ⑤ 30

06

오른쪽 그림은 어느 학급 학생들의 일주일 용돈을 조사하여 나타낸 히스토그램이다. 이 히스토그램의 전체 넓이가 72일 때, 도수가 가장 큰 계급의 계급값을 구하시오.

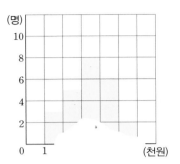

07

다음은 지희네 반 학생 20명의 볼링 점수를 조사하여 나타낸 표이다. $a+10b+100c$의 값을 구하시오.

볼링 점수(점)	학생 수(명)	상대도수
50이상 ~ 60미만	1	
60 ~ 70	a	0.2
70 ~ 80	8	b
80 ~ 90		c
90 ~ 100	2	
합계		

[08-09] 아래 그림은 승객 50명을 대상으로 버스를 기다린 시간을 분 단위로 조사하여 같은 자료를 두 학생이 각각 정리한 히스토그램이다. 다음 물음에 답하시오.

〈지안이가 정리한 히스토그램〉 〈민수가 정리한 히스토그램〉

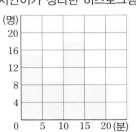 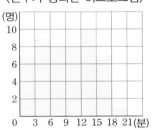

08

다음 중 위의 그림에 대한 설명으로 옳지 <u>않은</u> 것은?

① 계급값이 7.5분인 계급의 도수는 서로 같다.
② 지안이가 정리한 히스토그램은 계급의 크기가 5분이다.
③ 민수가 정리한 히스토그램은 계급의 개수가 7개이다.
④ 지안이보다 민수가 정리한 히스토그램이 자료의 분포 상태를 알아보기에 더 편리하다.
⑤ 계급의 크기를 10분으로 정리한 히스토그램은 자료의 분포 상태를 알아보기 어려울 것이다.

09

지안이가 정리한 히스토그램의 직사각형의 전체 넓이를 x, 민수가 정리한 히스토그램의 직사각형의 전체 넓이를 y라고 할 때, $x-y$의 값은?

① -100 ② -50 ③ 0
④ 50   ⑤ 100

MEMO

중학 국어 어휘

중학 국어 학습에 반드시 필요하고
자주 나오는 개념어, 주제어, 관용 표현 선정 수록

어휘가 바로 독해의 열쇠!
성적에 직결되는 어휘력, 갈수록 어려워지는 국어는
이 책으로 한 방에 해결!!!

어려운 문학 용어, 속담과 한자성어 등
관용 표현을 만화와 삽화로 설명하여
쉽고 재미있게 읽을 수 있는 구성

중학생이 꼭 알아야 할 지문 속 어휘의 뜻,
지문에 대한 이해를 묻는 문제 풀이로
어휘력, 독해력을 함께 키우는 30강 단기 완성!

중학도 역시 **EBS**

정답과 풀이

Level 3

Level 4

Level 2

Level 1

뉴런 고난도

심화·고난도 수학으로 상위권 도약!

수학 1(하)

고난도 대표유형 · 핵심개념 ➕ Level별 문항 구성 ➕ 정답과 풀이

뉴런 고난도
수학 1(하)

정답과 풀이

1 기본 도형

본문 08~11쪽

01 ⑤	**02** 12	**03** 8 cm	**04** 24°	**05** 40°	**06** 24°	**07** 105
08 ①, ④	**09** 43	**10** 3	**11** ③	**12** $p /\!/ s$	**13** 25°	**14** 87°
15 100°	**16** 40°					

01 오각기둥의 교점은 10개, 교선은 15개이므로
$a+b=10+15=25$

02 함정 피하기
$\overline{AB}=\overline{BA}, \overleftrightarrow{AB}=\overleftrightarrow{BA}$이지만 $\overrightarrow{AB}\neq\overrightarrow{BA}$

직선은 $\overleftrightarrow{AB}$, $\overleftrightarrow{BC}$, $\overleftrightarrow{CA}$의 3개이므로
$a=3$
반직선은 $\overrightarrow{AB}$, $\overrightarrow{AC}$, $\overrightarrow{BA}$, $\overrightarrow{BC}$, $\overrightarrow{CA}$, $\overrightarrow{CB}$의 6개이므로
$b=6$
선분은 $\overline{AB}$, $\overline{BC}$, $\overline{CA}$의 3개이므로
$c=3$
$\therefore a+b+c=3+6+3=12$

03 점 P는 $\overline{AB}$의 중점이므로
$\overline{PB}=\dfrac{1}{2}\overline{AB}=7$ (cm)
$\overline{BQ}=\overline{PQ}-\overline{PB}=11-7=4$ (cm)
점 Q는 $\overline{BC}$의 중점이므로
$\overline{BC}=2\overline{BQ}=8$ (cm)

04 $\angle BOC=\angle x$라 하면
$\angle AOB=\angle COD=90°-\angle x$
$\angle AOD=156°$에서
$2(90°-\angle x)+\angle x=156°$
$\angle x=24°$
따라서 $\angle BOC=24°$

05 $\angle POQ=\angle x$ 라 하면
$\angle AOQ=4\angle x=90°+\angle x$
$3\angle x=90°$
$\therefore \angle x=\angle POQ=30°$
$\angle QOB=90°-30°=60°$이므로
$\angle QOR=\dfrac{1}{6}\angle QOB$
$=\dfrac{1}{6}\times 60°=10°$
$\therefore \angle POR=\angle POQ+\angle QOR$
$=30°+10°$
$=40°$

06 맞꼭지각의 크기가 같고
평각의 크기가 180°이므로
$(\angle x-4°)+(2\angle x+2°)+(2\angle x-10°)+3\angle x=180°$
$8\angle x-12°=180°$
$8\angle x=192°$
$\therefore \angle x=24°$

07 $x°+60°=40°+90°$ (맞꼭지각)
$\therefore x=70$
$x°-y°+15°=90°-40°$
$70°-y°+15°=50°$
$\therefore y=35$
$\therefore x+y=70+35=105$

08 함정 피하기
한 점에서 직선까지의 거리는 수선의 발을 내려서 찾는다.

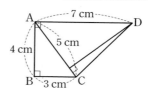

① $\overline{AD} /\!/ \overline{BC}$이므로 $\angle ACB=\angle DAC$ (엇각)
③ 점 B와 $\overline{AC}$ 사이의 거리는 점 B에서 $\overline{AC}$에 내린 수선의 발까지의 거리와 같으므로 3 cm 보다 짧다.
④ 점 C와 $\overline{AD}$ 사이의 거리는 $\overline{AD} /\!/ \overline{BC}$이므로 점 B와 $\overline{AD}$ 사이의 거리인 4 cm와 같다.
⑤ 점 D에서 $\overline{AC}$ 사이의 거리는 점 D에서 $\overline{AC}$에 내린 수선의 발까지의 거리와 같으므로 7 cm보다 짧다.

09 $\overleftrightarrow{PQ}$가 $\overline{AB}$의 수직이등분선이므로

$\angle AMP = 90^\circ$이고

$\overline{AM} = \overline{BM} = \dfrac{1}{2}\overline{AB} = \dfrac{1}{2} \times 16 = 8 \,(\text{cm})$

$\therefore x = 8$

$\angle APM = 90^\circ - 55^\circ = 35^\circ$

$\therefore y = 35$

$\therefore x + y = 43$

10 모서리 AB와 수직인 모서리는

$\overline{AD}, \overline{AE}, \overline{BC}, \overline{BF}$이므로

$a = 4$

모서리 AB와 평행한 모서리는

$\overline{CD}, \overline{EF}, \overline{GH}$이므로

$b = 3$

모서리 AB와 꼬인 위치에 있는 모서리는

$\overline{CG}, \overline{DH}, \overline{EH}, \overline{FG}$이므로

$c = 4$

$\therefore a + b - c = 4 + 3 - 4 = 3$

11 실수하기 쉬운 부분 짚어보기

$l \perp P$이려면 직선 l과 만나는 평면 P 위의 모든 직선과 서로 수직이다.

③ $\overline{BC}$와 면 ABED에서 $\angle ABC \neq 90^\circ$이므로 수직이 아니다.
면 ABED와 수직인 모서리는 $\overline{AC}, \overline{DF}$이다.

12

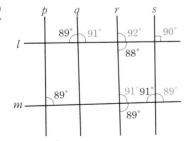

직선 q, r, s와 직선 l이 만나서 생기는 동위각에서 크기가 91°, 92°, 90°로 서로 다르므로 직선 q, r, s는 평행하지 않다.

직선 p, r, s와 직선 m이 만나서 생기는 동위각에서 크기가 89°, 91°, 89°이므로 직선 p와 s만 평행하다.

$\therefore p /\!/ s$

두 직선 l, m과 직선 s가 만나서 생기는 동위각의 크기가 90°, 89°로 서로 다르므로 직선 l과 m은 평행하지 않다.

13 $\overline{EF} = \overline{FB}$이므로 $\triangle EFB$는 이등변삼각형이다.

$\therefore \angle FEB = \angle FBE = \angle x$

$\overline{AB} /\!/ \overline{CD}$이므로

$\angle AFE = \angle CDF = 75^\circ - \angle x$ (동위각)

$\triangle FBE$에서

$(75^\circ - \angle x) + (180^\circ - 2\angle x) = 180^\circ$

$3\angle x = 75^\circ$

$\therefore \angle x = 25^\circ$

14

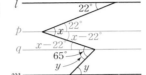

꺾인 점을 지나고 $l /\!/ m /\!/ p /\!/ q$인 직선 p, q를 그으면 엇각의 크기가 각각 같으므로

$\angle x - 22^\circ + \angle y = 65^\circ$

$\therefore \angle x + \angle y = 87^\circ$

15

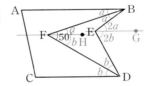

$\angle ABF = \angle FBE = \angle a$, $\angle CDF = \angle FDE = \angle b$라 하자.

점 F를 지나고 $\overline{AB}$와 평행한 직선 FH를 그으면

$\angle BFD = \angle a + \angle b = 50^\circ$

점 E를 지나고 $\overline{AB}$와 평행한 직선 EG를 그으면

$\angle BED = 2\angle a + 2\angle b = 2(\angle a + \angle b)$

$\qquad\qquad = 2 \times 50^\circ = 100^\circ$

$\therefore \angle BED = 100^\circ$

16 $\overline{EF}$가 접는 선이므로 $\angle GFE = \angle EFB$

$\overline{AD} /\!/ \overline{BC}$이므로 $\angle GEF = \angle EFB$ (엇각)

$\angle GFB = \angle FGD$ (엇각)

$\therefore \angle GEF = \angle EFB = \dfrac{1}{2}\angle GFB = \dfrac{1}{2}\angle FGD$

$\qquad\qquad = \dfrac{1}{2}(180^\circ - 100^\circ)$

$\qquad\qquad = 40^\circ$

Level ②

본문 12~15쪽

01 4   **02** 9   **03** 4 cm   **04** 21개   **05** 88   **06** 135°   **07** 20°

08 ②, ③   **09** 6개   **10** 35°   **11** $a /\!/ c$, $m /\!/ n$ **12** 60°

13 102°   **14** 92°   **15** 39°   **16** 62°

---

01 모서리 NG와 평행한 모서리는 $\overline{MH}$로 1개이므로 $a=1$
모서리 NG와 수직인 모서리는 $\overline{NM}$, $\overline{GH}$로 2개이므로 $b=2$
모서리 NG와 꼬인 위치에 있는 모서리는 $\overline{AB}$, $\overline{AM}$, $\overline{AE}$, $\overline{EF}$, $\overline{EH}$로 5개이므로 $c=5$
$\therefore a-b+c=1-2+5=4$

02 서로 다른 5개의 점으로 만들 수 있는 서로 다른 직선의 개수는 가장 많을 때는 5개의 점 중 어느 세 점도 한 직선 위에 있지 않을 때이므로
$a=\dfrac{5(5-1)}{2}=10$(개)
가장 적을 때는 5개의 점이 모두 한 직선 위에 있을 때이므로
$b=1$(개)
$\therefore a-b=10-1=9$

03 $\overline{AC}=\overline{AB}+\overline{BC}=\overline{BD}=\overline{BC}+\overline{CD}$이므로
$\overline{AB}=\overline{CD}=3$ cm
$\overline{BC}=x$ cm라 하면
$\overline{AD}=\overline{AB}+\overline{BC}+\overline{CD}=x+6$ (cm)
$2\overline{AD}=5\overline{BC}$이므로
$2(x+6)=5x$, $2x+12=5x$
$3x=12$
$\therefore x=4$ $\therefore \overline{BC}=4$ cm

04 $\angle AOB=180°$이므로
$\angle AOC = \angle COD = \angle DOE = \angle EOF$
$\qquad = \angle FOG = \angle GOH = \angle HOI = \angle IOB$
$\qquad = 180° \times \dfrac{1}{8}$
$\qquad = 22.5°$
$\therefore$ 8개
$\angle AOD = \angle COE = \angle DOF = \angle EOG$
$\qquad = \angle FOH = \angle GOI = \angle HOB$
$\qquad = 22.5° \times 2 = 45°$
$\therefore$ 7개

$\angle AOE = \angle COF = \angle DOG = \angle EOH$
$\qquad = \angle FOI = \angle GOB$
$\qquad = 22.5° \times 3 = 67.5°$
$\therefore$ 6개
따라서 예각의 개수는 모두 $8+7+6=21$(개)이다.

05 $\angle BOC : \angle COD = 2 : 3$이고
$\angle BOC + \angle COD = 90°$이므로
$\angle BOC = 90° \times \dfrac{2}{5} = 36°$
$x° + 10° = 36°$
$\therefore x = 26$
$\angle BOC = 90° - \angle COD = \angle DOE = 36°$
$\angle DOE = y° - 26° = 36°$
$\therefore y = 62$
$\therefore x+y = 26+62 = 88$

06

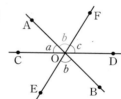

맞꼭지각의 크기는 서로 같으므로
$\angle AOF = \angle BOE = \angle b$
$\therefore \angle AOD = \angle b + \angle c$
$\qquad = \dfrac{5+4}{3+5+4} \times 180°$
$\qquad = 135°$

07

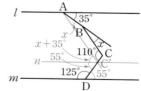

점 A를 지나고 $\overline{BC}$와 평행한 직선 AC′을 그으면 동위각의 크기는 서로 같으므로
$\angle BAC' = \angle x$, $\angle AC'D = 110°$
점 C′을 지나고 직선 m과 평행한 직선 n을 그으면 엇각의 크기는 서로 같으므로
$(\angle x + 35°) + (180° - 125°) = 110°$
$\therefore \angle x = 20°$

08

공간에서 두 직선의 위치 관계는 직육면체를 이용하여 나타낸다.

① 한 직선에 수직인 두 직선은 오른쪽 그림과 같이 꼬인 위치에 놓일 수도 있다.

④ 한 평면에 포함된 두 직선은 한 점에서 만날 수도 있다.

⑤ 한 평면에 평행한 두 직선은 오른쪽 그림과 같이 한 점에서 만날 수도 있다.

09

$\overline{AE}$와 꼬인 위치에 있는 모서리는 $\overline{NM}$, $\overline{MJ}$, $\overline{MD}$, $\overline{JC}$, $\overline{BC}$, $\overline{CD}$로 6개이다.

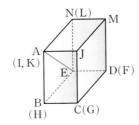

10

$\angle GHI$의 동위각은 $\angle FGI$, $\angle GID$이므로
$\angle FGI + \angle GID = 215°$
삼각형 GHI에서
$\angle HGI = 180° - \angle FGI$
$\angle GIH = 180° - \angle GID$
삼각형의 세 내각의 크기의 합은 $180°$이므로
$\angle GHI + \angle HGI + \angle GIH = 180°$
$\angle GHI + (180° - \angle FGI) + (180° - \angle GID) = 180°$
따라서
$\angle GHI = (\angle FGI + \angle GID) - 180°$
$= 215° - 180° = 35°$

11

크기가 같은 각의 위치가 동위각 또는 엇각인지 확인한다.

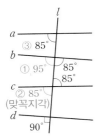

① 평각의 크기는 $180°$이므로 $180° - 85° = 95°$

② 맞꼭지각의 크기는 서로 같으므로 $85°$

③ 동위각의 크기가 $85°$로 같은 직선은 a와 c이므로 $a /\!/ c$

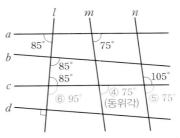

④ $a /\!/ c$이므로 동위각의 크기가 $75°$로 같다.

⑤ 평각의 크기는 $180°$이므로 $180° - 105° = 75°$

⑥ 평각의 크기는 $180°$이므로 $180° - 85° = 95°$

⑦ ④, ⑤에서 동위각의 크기가 $75°$로 같으므로 $m /\!/ n$

12

$a /\!/ b$이므로 엇각의 크기가 같아져서 $40°$
$c /\!/ d$이므로 엇각의 크기가 같아져서 $80°$
삼각형의 세 내각의 크기의 합은 $180°$이므로
$\angle x + 80° + 40° = 180°$
$\therefore \angle x = 60°$

13

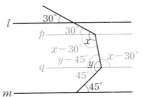

꺾인 점을 지나고 두 직선 l, m에 평행한 직선 p, q를 그으면 동위각과 엇각의 크기가 각각 같으므로
$(\angle x - 30°) + (\angle y - 45°) = 180°$
$\therefore \angle x + \angle y = 255°$
이때 $\angle x : \angle y = 2 : 3$이므로
$\angle x = 255° \times \dfrac{2}{5} = 102°$

14

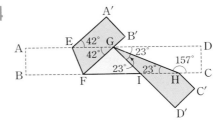

$\overline{EA'}\ /\!/\ \overline{FB'}$이므로

$\angle A'EG = \angle EGF = 42°$(엇각)

$\overline{GD}\ /\!/\ \overline{IC}$이므로

$\angle GHI = \angle DGH = 23°$(엇각)

접은 각의 크기는 같으므로

$\angle IGH = \angle DGH = 23°$

따라서 평각의 크기는 180°이므로

$\angle FGI = 180° - 42° - 23° - 23°$

$\qquad = 92°$

15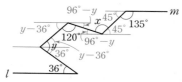

위의 그림과 같이 꺾인 점을 지나고 두 직선 l, m에 평행한 직선을 그으면 엇각의 크기는 각각 같으므로

$(96° - \angle y) + \angle x + 45° = 180°$

$\therefore \angle x - \angle y = 39°$

16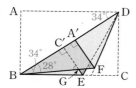

$\angle ADB = \angle DBC = 34°$(엇각)

$\angle A'BF = \dfrac{1}{2}\angle ABD$

$\qquad = \dfrac{1}{2}(90° - \angle ADB)$

$\qquad = \dfrac{1}{2} \times 56°$

$\qquad = 28°$

직사각형이므로 $\angle BA'F = \angle BC'E = 90°$

즉, 동위각의 크기가 서로 같으므로 $\overline{A'F}\ /\!/\ \overline{C'E}$

$\angle BGC' = \angle BFA'$(동위각)

$\angle BGC' = \angle FGE$(맞꼭지각)

따라서

$\angle FGE = \angle BFA' = 90° - \angle A'BF$

$\qquad = 90° - 28°$

$\qquad = 62°$

Level ③ 본문 16~17쪽

01 4개 **02** 37 **03** 252° **04** 19 **05** 84° **06** 6개 **07** 81°

01 실수하기 쉬운 부분 짚어보기

맞꼭지각의 크기는 항상 같다.

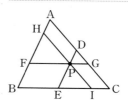

$\overline{BC}\ /\!/\ \overline{FG}$이므로

$\angle AGF = \angle C$ (동위각)

$\overline{AC}\ /\!/\ \overline{HI}$이므로

$\angle HIB = \angle C$ (동위각)

$\triangle AFG$에서 $\overline{AG}\ /\!/\ \overline{HP}$이므로

$\angle HPF = \angle AGF$ (동위각)

$\angle HPF = \angle GPI$ (맞꼭지각)

따라서 $\angle C$와 크기가 같은 각은

$\angle AGF$, $\angle HIB$, $\angle HPF$, $\angle GPI$

로 4개이다.

02 $\angle a : \angle b = 4 : 3$에서 $3\angle a = 4\angle b$이므로

$\angle b = \dfrac{3}{4}\angle a$

$\angle b : \angle c = 4 : 3$에서 $3\angle b = 4\angle c$이므로

$\angle c = \dfrac{3}{4}\angle b = \dfrac{3}{4} \times \dfrac{3}{4}\angle a = \dfrac{9}{16}\angle a$

$\angle c : \angle d = 4 : 3$에서 $3\angle c = 4\angle d$이므로

$\angle d = \dfrac{3}{4}\angle c = \dfrac{3}{4} \times \dfrac{9}{16}\angle a = \dfrac{27}{64}\angle a$

$\angle XOZ = \angle b + \angle c = \dfrac{3}{4}\angle a + \dfrac{9}{16}\angle a = \dfrac{21}{16}\angle a$

$\angle AOB = \angle a + \angle b + \angle c + \angle d$

$\qquad = \angle a + \dfrac{3}{4}\angle a + \dfrac{9}{16}\angle a + \dfrac{27}{64}\angle a = \dfrac{175}{64}\angle a$

$\therefore \dfrac{\angle XOZ}{\angle AOB} = \angle XOZ \div \angle AOB$

$\qquad = \dfrac{21}{16}\angle a \div \dfrac{175}{64}\angle a = \dfrac{21}{16}\angle a \times \dfrac{64}{175\angle a}$

$\qquad = \dfrac{12}{25}$

$\therefore p + q = 12 + 25 = 37$

03

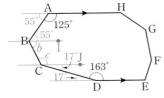

$\overline{\text{AH}}$와 $\overline{\text{DE}}$의 연장선을 그으면 $\angle$A와 $\angle$D의 외각의 크기는 각각 $55°$, $17°$이고 $\overline{\text{AH}}$와 평행하고 점 B와 점 C를 지나는 직선 BI와 직선 CJ를 그으면 엇각의 크기는 같다.

$\angle$B $= 55° + \angle b$, $\angle$C $= 17° + \angle c$라 하면 두 직선 BI, CJ가 평행하므로 엇각의 크기가 같다. 즉, $\angle b + \angle c = 180°$

$\therefore \angle\text{B} + \angle\text{C} = (55° + \angle b) + (17° + \angle c)$
$= 72° + (\angle b + \angle c)$
$= 72° + 180°$
$= 252°$

04

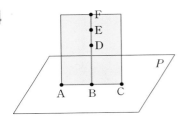

평면 위의 세 점이 한 직선 위에 있고, 평면 밖의 세 점과 평면 위의 한 점이 한 직선 위에 있는 경우 어느 세 점을 선택하여도 같은 평면이 되므로 $n = 1$

어느 세 점도 한 직선 위에 있지 않을 때, 서로 다른 평면을 이루는 세 점은 다음과 같다.

① A−B−C(평면 P)
② 두 점 A, B와 평면 P 밖의 한 점으로 이루어진 평면:
  A−B−D, A−B−E, A−B−F
③ 두 점 B, C와 평면 P 밖의 한 점으로 이루어진 평면:
  B−C−D, B−C−E, B−C−F
④ 두 점 A, C와 평면 P 밖의 한 점으로 이루어진 평면:
  A−C−D, A−C−E, A−C−F
⑤ 점 A와 평면 P 밖의 두 점으로 이루어진 평면:
  A−D−E, A−D−F, A−E−F
⑥ 점 B와 평면 P 밖의 두 점으로 이루어진 평면:
  B−D−E, B−D−F, B−E−F
⑦ 점 C와 평면 P 밖의 두 점으로 이루어진 평면:
  C−D−E, C−D−F, C−E−F
⑧ 평면 P 밖의 세 점으로 이루어진 평면:
  D−E−F
$\therefore m = 20$
따라서 $m - n = 20 - 1 = 19$

05

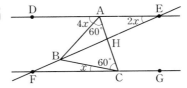

$\angle$AEH $= 2\angle$BCF, $\angle$DAB $= 2\angle$AEH이므로
$\angle$BCF $= \angle x$라 하면
$\angle$AEH $= 2\angle x$, $\angle$DAB $= 4\angle x$
$\triangle$ABC는 정삼각형이므로
$\angle$BAC $= \angle$ABC $= \angle$BCA $= 60°$
$\overleftrightarrow{\text{DE}}\,/\!/\,\overleftrightarrow{\text{FG}}$이므로
$\angle$FCA $= \angle$EAC(엇각)
$\angle$DAC $+ \angle$EAC $= (4\angle x + 60°) + (\angle x + 60°)$
$= 180°$
$\therefore \angle x = 12°$
$\overleftrightarrow{\text{DE}}\,/\!/\,\overleftrightarrow{\text{FG}}$이므로
$\angle$AEH $= \angle$EFC $= 2 \times 12° = 24°$(엇각)
삼각형 HFC에서
$\angle$FHC $= 180° - \angle$HFC $- \angle$HCF
$= 180° - 24° - (60° + 12°)$
$= 84°$

06 주어진 전개도로 만든 입체도형은 다음과 같다.

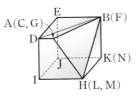

따라서 $\overline{\text{BD}}$와 꼬인 위치에 있는 모서리는 $\overline{\text{AH}}$, $\overline{\text{EJ}}$, $\overline{\text{HI}}$, $\overline{\text{IJ}}$, $\overline{\text{JK}}$, $\overline{\text{KH}}$로 6개이다.

07 종이를 펼쳤을 때 접힌 선을 모두 표시하면 다음 그림과 같다.

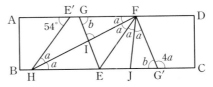

접은 각의 크기는 같으므로
$\angle$GFH $= \angle$HFE $= \angle$EFJ $= \angle$JFG′ $= \angle a$
$\angle$FGE $= \angle$FG′E $= \angle b$

$\angle E'HF = \angle FHE$이고

$\overline{AD} /\!/ \overline{BC}$이므로

$\angle FHE = \angle GFH = \angle a$ (엇각)

즉, $\angle E'HF = \angle FHE = \angle a$

$\angle AE'H = \angle E'HE = 54°$ (엇각)이므로

$2\angle a = 54°$

$\therefore \angle a = 27°$

따라서 $\angle GFG' = \angle FG'C$ (엇각) $= 4\angle a$

$4\angle a + \angle b = 180°$

$\therefore \angle b = 72°$

따라서 $\triangle GIF$에서

$\angle GIF = 180° - \angle a - \angle b$

$\qquad = 81°$

Level 4   본문 32~33쪽

01 5148   **02** 6   **03** 16개   **04** 29   **05** 18°   **06** $23\dfrac{7}{11}$분 후

01 **풀이전략** $\overline{P_1P_2} = \overline{P_1P_3}$이므로 서로 다른 반직선이 되는 조건을 찾는다.

직선 위의 점이므로 $\overline{P_1P_2} = \overline{P_1P_3} = \overline{P_1P_4} = \cdots = \overline{P_1P_{100}}$

서로 다른 반직선이 되려면 시작점이 달라야 하므로

$\overline{P_1P_{100}}, \overline{P_2P_{100}}, \overline{P_3P_{100}}, \cdots, \overline{P_{99}P_{100}}$이므로 99개

반대 방향도 같은 방법으로 99개가 있으므로

$a = 99 + 99 = 198$(개)

선분의 시작점이 P_1인 경우 $\overline{P_1P_2}, \overline{P_1P_3}, \overline{P_1P_4}, \cdots, \overline{P_1P_{100}}$이므로 99개

선분의 시작점이 P_2인 경우 $\overline{P_2P_3}, \overline{P_2P_4}, \overline{P_2P_5}, \cdots, \overline{P_2P_{100}}$이므로 98개

$\vdots$

선분의 시작점이 P_n인 경우 $(100-n)$개이다.

그러므로 서로 다른 선분의 개수는

$b = 99 + 98 + 97 + \cdots + 2 + 1$

$\quad = \dfrac{99(99+1)}{2} = 4950$(개)

$\therefore a + b = 198 + 4950 = 5148$

02 **풀이전략** $\overline{A_nA_{n+1}} = \overline{OA_n} - \overline{OA_{n+1}}$임을 이용하여 $\overline{A_nA_{n+1}}$의 길이를 구한다.

$\overline{OA_1} = \dfrac{1}{3}\overline{OA}$

$\overline{OA_2} = \dfrac{1}{3}\overline{OA_1} = \dfrac{1}{3} \times \dfrac{1}{3}\overline{OA} = \left(\dfrac{1}{3}\right)^2 \times \overline{OA}$

$\overline{OA_3} = \dfrac{1}{3}\overline{OA_2} = \left(\dfrac{1}{3}\right)^3 \times \overline{OA}$

$\vdots$

$\therefore \overline{OA_n} = \left(\dfrac{1}{3}\right)^n \times \overline{OA}$

$\overline{A_nA_{n+1}} = \overline{OA_n} - \overline{OA_{n+1}}$

$\qquad = \left(\dfrac{1}{3}\right)^n \times \overline{OA} - \left(\dfrac{1}{3}\right)^{n+1} \times \overline{OA}$

$\qquad = \left(\dfrac{1}{3}\right)^n \times \left(1 - \dfrac{1}{3}\right) \times \overline{OA}$

$\qquad = \left(\dfrac{1}{3}\right)^n \times \dfrac{2}{3}\overline{OA}$

$\overline{A_nA_{n+1}}$의 길이가 소수가 되는 것은 $n=6$일 때

$\overline{A_6A_7} = \left(\dfrac{1}{3}\right)^6 \times \dfrac{2}{3} \times 3^7 = 2$

03 **풀이전략** x, y가 정수이고 $xy = 60$임을 이용하여 x, y의 값을 구한다.

제1사분면에서 식 $y = \dfrac{60}{x}$의 그래프 위의 점 중에서 x좌표와 y좌표 모두 정수인 경우는 다음과 같고 x축에 내린 수선의 길이는 y좌표, y축에 내린 수선의 길이는 x좌표와 같다.

x좌표	1	2	3	4	5	6	10	12	15	20	30	60
y좌표	60	30	20	15	12	10	6	5	4	3	2	1
길이의 차	59	28	17	11	7	4	4	7	11	17	28	59

소수는 59, 17, 11, 7이므로 제1사분면에서 조건을 만족하는 점은 8개이다.

식 $y = \dfrac{60}{x}$의 그래프는 원점에 대칭이므로 제3사분면에서 조건을 만족하는 점도 8개이다.

따라서 조건을 만족하는 점은 모두 $8+8 = 16$(개)이다.

04 **풀이전략** 영역의 개수가 최대가 되려면 새로운 직선을 그을 때 교점이 최대로 나와야 한다.

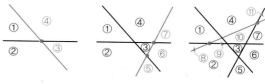

직선이 1개인 경우 나누어지는 영역은 2이므로 $L(1) = 2$

직선이 2개인 경우 나누어지는 영역이 최대로 나오려면 원래 직선과 새로운 직선이 한 점에서 만나 영역이 2개가 추가되므로

$L(2) = L(1) + 2 = 4$

직선이 3개인 경우 나누어지는 영역이 최대로 나오려면 원래 직선 2개와 새로운 직선이 각각 만나 영역이 3개가 추가되므로

$L(3) = L(2) + 3 = 7$

직선이 4개인 경우 나누어지는 영역이 최대로 나오려면 원래 직선 3개와 새로운 직선이 각각 만나 영역이 4개가 추가되므로

$L(4)=L(3)+4=11$

따라서 $L(a)=L(a-1)+a$이므로

$L(7)=L(6)+7=\{L(5)+6\}+7$
$\qquad =[\{L(4)+5\}+6]+7=29$

05 [풀이전략] 두 직선이 평행한 경우 동위각과 엇각의 크기가 각각 같다.

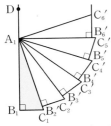

$\angle B_1A_1C_1=\angle x$라고 하자.

점 A_1을 지나고 각 직각삼각형의 $\overline{A_nC_n}$과 평행한 직선을 각각 그으면 동위각으로 그 크기가 $\angle x$와 같으므로

$\angle C_6{'}A_1B_1=6\angle x$

$\overline{A_1B_1}/\!/\overline{B_6{'}C_6{'}}$이므로

$\angle DA_1C_6{'}=\angle A_1C_6{'}B_6{'}$ (엇각)

그런데 $\angle A_1C_6{'}B_6{'}=\angle A_1C_1B_1=90°-\angle x$이므로

$\angle C_6{'}A_1B_1+\angle DA_1C_6{'}=6\angle x+(90°-\angle x)=180°$

$5\angle x=90°$

$\therefore \angle x=18°$

06 [풀이전략] 1분 동안 시침과 분침이 움직이는 각도를 구한다.

t분 후 12시와 시침이 이루는 각의 크기는

$30°\times 4+\dfrac{30°}{60}t$

이고 분침이 이루는 각의 크기는 $\dfrac{360°}{60}t$이다.

처음으로 시침과 분침이 이루는 각의 크기가 65°가 되는 것은

$(120°+0.5°t)-6°t=65°$

$\therefore t=10$(분)

두 번째로 시침과 분침이 이루는 각의 크기가 65°가 되는 것은

$6°t-(120°+0.5°t)=65°$

$\therefore t=33\dfrac{7}{11}$(분)

따라서 처음으로 65°가 되는 시각은 4시 10분이고, 두 번째로 65°가 되는 시각은 4시 $33\dfrac{7}{11}$분이므로 $23\dfrac{7}{11}$분 후이다.

2 작도와 합동

Level 1

01 ⑤　　**02** ②　　**03** 40°　　**04** 9개　　**05** ①, ③, ⑤　　**06** ②, ④

07 ①, ⑤　　**08** ②, ⑤　　**09** 2 cm　　**10** ②　　**11** ①, ②　　**12** ①

13 ②　　**14** 3쌍　　**15** ④　　**16** 9 cm

01 수직이등분선의 작도를 이용하여 90°를 작도한 후 각의 이등분선의 작도를 이용하여 45°를 작도할 수 있다.

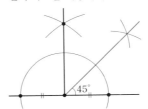

정삼각형의 작도를 이용하여 60°를 작도한 후 각의 이등분선의 작도를 이용하여 30°, 15°를 각각 작도할 수 있다.

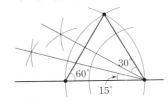

02 ② 길이가 같은 선분의 작도이므로 $\overline{BC}=\overline{AD}$이다.

03

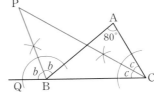

$\overline{PB}$와 $\overline{PC}$는 각의 이등분선이므로

$\angle ACB=2\angle c$, $\angle ABQ=2\angle b$라 하면

△ABC에서 $80°+(180°-2\angle b)+2\angle c=180°$

$\therefore \angle b=40°+\angle c$

△PBC에서

$$\angle BPC = 180° - \angle PBC - \angle PCB$$
$$= 180° - (180° - \angle b) - \angle c$$
$$= \angle b - \angle c$$
$$= (\angle c + 40°) - \angle c$$
$$= 40°$$

04 삼각형에서 가장 긴 변의 길이가 나머지 두 변의 길이의 합보다 작아야 한다.

가장 긴 변의 길이를 x cm라 하면

$x < 7 + 5$에서 $x < 12$ ...... ㉠

가장 긴 변의 길이를 7 cm라 하면

$7 < x + 5$에서 $x > 2$ ...... ㉡

㉠, ㉡에서 $2 < x < 12$이고 x의 값이 될 수 있는 자연수는 3, 4, 5, 6, 7, 8, 9, 10, 11로 그 개수는 9개이다.

05 함정 피하기
△ABC를 그려 주어진 조건을 표시한 후 삼각형이 되는지, 삼각형이 하나로 결정되는지 확인한다.

①, ③ 한 변의 길이와 양 끝 각의 크기가 주어질 때 삼각형이 하나로 정해지므로 다른 한 각의 크기를 알면 된다.

② $50° + 130° = 180°$가 되므로 삼각형이 되지 않는다.

⑤ 두 변의 길이와 그 끼인각의 크기가 주어질 때 삼각형이 하나로 정해진다.

06 ① $10 > 5 + 4$이므로 삼각형이 만들어지지 않는다.

② 두 변의 길이와 그 끼인각의 크기가 주어진 경우 삼각형이 하나로 결정된다.

③ $\angle C$는 끼인각이 아니므로 삼각형이 하나로 결정되지 않는다.

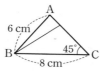

④ 한 변의 길이와 그 양 끝 각의 크기가 주어진 경우 삼각형이 하나로 결정된다.

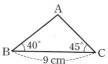

⑤ 세 각의 크기가 주어진 경우 삼각형의 크기를 결정할 수 없으므로 삼각형이 하나로 결정되지 않는다.

07 함정 피하기
조건을 만족하면서 합동이 아닌 예를 그려 본다.

① 원주가 같으면 두 원의 반지름의 길이가 같으므로 합동이다.

②
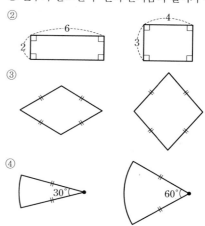
③
④
⑤ 한 변의 길이가 같은 정다각형은 합동이다.

08 ② 대응하는 두 변의 길이와 그 끼인각의 크기가 각각 같으므로 합동이다. (SAS 합동)

⑤ 대응하는 한 변의 길이와 양 끝 각의 크기가 각각 같으므로 합동이다. (ASA 합동)

09 △ABE와 △ACD에서
$\overline{AB} = \overline{AC}$, $\angle ABE = \angle ACD$, $\angle A$가 공통인 각
이므로 △ABE ≡ △ACD (ASA 합동)
즉, $\overline{BE} = \overline{CD} = 4$ cm
$\angle A = \angle ACD$에서 △ACD는 이등변삼각형이므로
$\overline{AD} = \overline{CD} = 4$ cm
∴ $\overline{BD} = \overline{AB} - \overline{AD}$
$= 6 - 4 = 2$ (cm)

10 ① $\angle ACE = 60° + \angle DCE = \angle DCB$
③ △ACE와 △DCB에서
$\overline{AC} = \overline{DC}$, $\overline{CE} = \overline{CB}$, $\angle ACE = \angle DCB$
이므로
△ACE ≡ △DCB (SAS 합동)
④ △APB에서
$\angle APD = \angle PAB + \angle PBA$
$= \angle PAC + \angle AEC$
$= \angle ECB = 60°$
⑤ $\angle APB = 180° - \angle APD = 120°$

11 $\overline{AC}=\overline{BC}$, $\overline{CD}=\overline{CE}$,

$\angle ACD=60°-\angle ACE=\angle BCE$

이므로

$\triangle ACD\equiv\triangle BCE$ (SAS 합동)

① $\angle ACD=\angle BCE$

② $\overline{AD}=\overline{BE}$

12 ⑤ $\overline{AB}=\overline{BC}=\overline{CA}$, $\overline{BE}=\overline{CF}=\overline{AD}$,

$\angle B=\angle C=\angle A=60°$

이므로

$\triangle ABE\equiv\triangle BCF\equiv\triangle CAD$ (SAS 합동)

④ $\angle BAE=\angle CBF=\angle ACD$이므로

$\angle ABQ=\angle BCR=\angle CAP$

② $\angle BCR=\angle ABQ$이므로

$\angle QBE+\angle BCR=\angle QBE+\angle ABQ=60°$

③ $\triangle PQR$에서

$\angle PRQ=\angle QBE+\angle BCR=60°$

같은 방법으로 $\angle RQP=\angle RPQ=60°$이므로

$\triangle PQR$는 정삼각형이다.

13 ㄱ. $\triangle APM$과 $\triangle BPM$에서

$\overline{AM}=\overline{BM}$, $\overline{PM}$은 공통인 변, $\angle AMP=\angle BMP=90°$

이므로

$\triangle APM\equiv\triangle BPM$ (SAS 합동)

ㄷ. $\triangle AQM$과 $\triangle BQM$에서

$\overline{AM}=\overline{BM}$, $\overline{QM}$은 공통인 변, $\angle AMQ=\angle BMQ=90°$

이므로

$\triangle AQM\equiv\triangle BQM$ (SAS 합동)

ㄹ. $\triangle APQ$와 $\triangle BPQ$에서

$\overline{AP}=\overline{BP}$, $\overline{PQ}$는 공통인 변, $\overline{AQ}=\overline{BQ}$

이므로

$\triangle APQ\equiv\triangle BPQ$ (SSS 합동)

14 **실수하기 쉬운 부분 짚어보기**

문제의 조건을 그림에 표시한 후 합동인 경우 대응하는 각의 크기가 같음을 이용하여 합동인 삼각형을 찾는다.

$\triangle ABC\equiv\triangle DCB$ (SSS 합동)

$\triangle ADB\equiv\triangle DAC$ (SSS 합동)

$\triangle ABE\equiv\triangle DCE$ (ASA 합동)

15 ⑤ $\triangle ABE$와 $\triangle BCF$에서

$\overline{AB}=\overline{BC}$, $\overline{BE}=\overline{CF}$,

$\angle ABE=\angle BCF=90°$

이므로 $\triangle ABE\equiv\triangle BCF$ (SAS 합동)

①, ③ $\angle BAE=\angle CBF$, $\overline{AE}=\overline{BF}$

② $\angle PBE+\angle BFC=90°$

$\angle AEB=\angle BFC$이므로

$\angle APB=\angle PBE+\angle AEB$

$=90°$

16 $\triangle ABG$와 $\triangle BCF$에서

$\overline{AB}=\overline{BC}$, $\angle ABG=90°-\angle CBF=\angle BCF$,

$\angle GAB=90°-\angle ABG=\angle FBC$

이므로 $\triangle ABG\equiv\triangle BCF$ (ASA 합동)

$\therefore \overline{BG}=\overline{CF}$

$\therefore \overline{EG}=\overline{BE}-\overline{BG}$

$=25-16$

$=9 \,(\text{cm})$

Level ② 본문 26~29쪽

01 8개	02 ①	03 7	04 ②, ⑤	05 ㄱ, ㄷ, ㅂ
06 ④	07 60°	08 16 cm²	09 180°	10 12 cm
11 180°	12 68 cm²	13 16 cm²	14 25°	15 90°
16 80°				

01 삼각형의 세 변의 길이는

(가장 긴 변의 길이)<(다른 두 변의 길이의 합)

이어야 한다.

가능한 삼각형의 세 변의 길이는

(3 cm, 4 cm, 5 cm), (3 cm, 4 cm, 6 cm)

(3 cm, 5 cm, 6 cm), (3 cm, 6 cm, 8 cm)

(4 cm, 5 cm, 6 cm), (4 cm, 5 cm, 8 cm)

(4 cm, 6 cm, 8 cm), (5 cm, 6 cm, 8 cm)

따라서 만들 수 있는 삼각형의 개수는 8개이다.

02 $x-3<x+2<x+5$이고, 가장 긴 변의 길이가 나머지 두 변의 길이의 합보다 크거나 같으면 삼각형이 되지 않으므로

$x+5=(x-3)+(x+2)$

$\therefore x=6$

따라서 x가 6보다 작거나 같으면 삼각형이 되지 않는다.

03 합정 피하기

삼각형의 결정조건과 비교하여 경우를 나눈 후 삼각형을 그려 본다.

한 변의 길이 6 cm와 두 각의 크기 30°, 50°가 주어졌을 때 작도할 수 있는 삼각형은 다음 그림과 같다.

  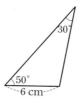

① 한 변의 길이와 양 끝 각의 크기인 경우: 1개

② 한 변의 길이와 양 끝 각의 크기가 아닌 경우: 2개

$\therefore a=3$

두 변의 길이 7 cm, 5 cm와 한 각의 크기 40°가 주어졌을 때 작도할 수 있는 삼각형은 다음 그림과 같다.

① 두 변의 길이와 그 끼인각의 크기인 경우: 1개

② 두 변의 길이와 그 끼인각의 크기가 아닌 경우: 3개

$\therefore b=4$

$\therefore a+b=7$

04 두 변의 길이, 즉 $\overline{AB}=8$ cm, $\overline{BC}=5$ cm가 주어졌으므로 다른 한 변의 길이인 $\overline{CA}$의 길이 또는 그 끼인각인 $\angle B$의 크기가 주어져야 한다.

④ $\overline{AC}=3$ cm이면 $\overline{AB}=\overline{AC}+\overline{BC}$이므로 삼각형을 그릴 수 없다.

05 ㄱ. 넓이가 같으면 두 원의 반지름의 길이가 같으므로 합동이다.

ㄴ.

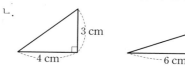

ㄷ. 정삼각형의 둘레의 길이가 같으면 두 정삼각형의 세 변의 길이가 모두 같다.

ㄹ.

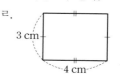 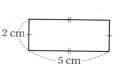

ㅁ.

ㅂ. 정오각형은 각의 크기와 변의 길이가 모두 같으므로 한 변의 길이가 같은 두 정오각형은 합동이다.

06 합정 피하기

삼각형이 합동이려면 크기가 같아야 하므로 길이가 같은 선분을 먼저 찾는다.

평행사변형이므로 $\overline{AB}\parallel\overline{DC}$

$\triangle AEF$와 $\triangle DEC$에서

$\overline{AE}=\overline{DE}$, $\angle AEF=\angle DEC$(맞꼭지각),

$\angle FAE=\angle CDE$(엇각)이므로

$\triangle AEF\equiv\triangle DEC$ (ASA 합동)

07 $\triangle ADC$와 $\triangle MDC$에서

$\angle ACD=\angle MCD$, $\overline{CD}$는 공통인 변,

$\angle ADC=90°-\angle ACD=90°-\angle MCD=\angle MDC$

이므로 $\triangle ADC\equiv\triangle MDC$ (ASA 합동) ⋯⋯ ㉠

또, $\triangle MDB$와 $\triangle MDC$에서

$\overline{BM}=\overline{CM}$, $\overline{DM}$은 공통인 변, $\angle BMD=\angle CMD=90°$

이므로 $\triangle MDB\equiv\triangle MDC$ (SAS 합동) ⋯⋯ ㉡

㉠, ㉡에서 $\triangle ADC\equiv\triangle MDC\equiv\triangle MDB$ 이므로

$\angle ADC=\angle MDC=\angle MDB=\angle x$이고

$\angle x+\angle x+\angle x=180°$

$3\angle x=180°$

$\therefore \angle x=60°$

08 ∠A=∠B=90°인 사다리꼴이므로 $\overline{AD}$∥$\overline{BC}$

△AFD와 △EFC에서

$\overline{AF}=\overline{EF}$, ∠AFD=∠EFC (맞꼭지각)

∠DAF=∠CEF (엇각)

이므로 △AFD≡△EFC (ASA 합동)

따라서 사다리꼴 ABCD의 넓이는 △ABE의 넓이와 같으므로

$\square$ABCD$=\dfrac{1}{2}\times 8\times 4=16\,(\text{cm}^2)$

09

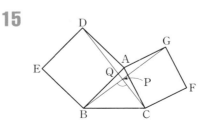

△ACE와 △DCB에서

$\overline{AC}=\overline{DC}$, $\overline{CE}=\overline{CB}$, ∠ACE=∠DCB=120°

이므로 △ACE≡△DCB (SAS 합동)

∠CAE=∠CDB=∠a, ∠AEC=∠DBC=∠b라 하면

∠a+∠b=180°-120°=60°

∴ ∠EFC+∠DGC=(∠a+60°)+(∠b+60°)

$\qquad\qquad\qquad\quad=(\angle a+\angle b)+120°$

$\qquad\qquad\qquad\quad=180°$

10 △ABD와 △ACE에서

$\overline{AB}=\overline{AC}$, $\overline{AD}=\overline{AE}$

∠BAD=60°+∠CAD=∠CAE

이므로 △ABD≡△ACE (SAS 합동)

∴ $\overline{CE}=\overline{BD}=7+5=12\,(\text{cm})$

11 △ABE와 △BCF에서

$\overline{BE}=\overline{CF}$, $\overline{AB}=\overline{BC}$,

∠ABE=∠BCF=90°

이므로 △ABE≡△BCF (SAS 합동)

$\overline{AD}$∥$\overline{BC}$이므로 ∠x=∠AEB (엇각)

∠BFC=∠AEB=∠x

∴ ∠x+∠y=180°

12 △AED와 △BCE에서

$\overline{DE}=\overline{EC}$,

∠AED=90°-∠BEC=∠BCE

∠ADE=90°-∠AED=∠BEC

이므로 △AED≡△BCE (ASA 합동)

∴ $\overline{AD}=\overline{BE}$, $\overline{AE}=\overline{BC}$

$\overline{AB}=\overline{AE}+\overline{BE}=\overline{BC}+\overline{AD}=10+6=16\,(\text{cm})$

△CDE=$\square$ABCD-△AED-△BCE

$\qquad=\dfrac{(6+10)\times 16}{2}-2\times\left(\dfrac{1}{2}\times 6\times 10\right)$

$\qquad=68\,(\text{cm}^2)$

13 △OAB≡△OBC≡△OCD≡△ODA (ASA 합동)

△OHC와 △OID에서

$\overline{OC}=\overline{OD}$, ∠OCH=∠ODI=45°,

∠HOC=90°-∠IOC=∠IOD

이므로 △OHC≡△OID (ASA 합동)

∴ $\square$OHCI=△OCD

$\qquad\quad=\dfrac{1}{4}\square\text{ABCD}$

$\qquad\quad=\dfrac{1}{4}\times 8\times 8$

$\qquad\quad=16\,(\text{cm}^2)$

14 △GBC와 △EDC에서

$\overline{BC}=\overline{DC}$, $\overline{GC}=\overline{EC}$,

∠GCB=90°-∠GCD=∠ECD

이므로 △GBC≡△EDC (SAS 합동)

∠CED=∠CGB=180°-{(90°-65°)+40°}

$\qquad\qquad=115°$

∴ ∠DEF=∠CED-∠CEF

$\qquad\qquad=115°-90°$

$\qquad\qquad=25°$

15

$\overline{AB}$와 $\overline{CD}$의 교점을 Q라고 하자.

△ADC와 △ABG에서

$\overline{AD}=\overline{AB}$, $\overline{AC}=\overline{AG}$,

$\angle DAC=90°+\angle BAC=\angle BAG$

이므로 $\triangle ADC \equiv \triangle ABG$ (SAS 합동)

$\therefore \angle ADQ=\angle ABG$

$\angle AQD=\angle BQP$ (맞꼭지각)

$\angle BPQ=\angle DAQ=90°$

$\therefore \angle BPC=180°-\angle BPQ$

$\qquad\qquad =90°$

16 $\triangle ADE$와 $\triangle CDE$에서

$\overline{AD}=\overline{CD}$, $\overline{DE}$는 공통인 변,

$\angle ADE=\angle CDE=45°$

이므로

$\triangle ADE \equiv \triangle CDE$ (SAS 합동)

$\therefore \angle EAD=\angle ECD$

그런데 $\overline{AD} /\!/ \overline{BF}$이므로

$\angle EAD=\angle EFC=35°$ (엇각)

$\therefore \angle ECD=35°$

$\therefore \angle BEC=180°-\angle EBC-\angle ECB$

$\qquad\qquad =180°-45°-(90°-35°)$

$\qquad\qquad =80°$

Level ❸ 본문 30~31쪽

01 45° **02** 3 **03** 26 cm **04** 14 cm **05** 9 cm²

06 9 cm **07** 50 cm²

01 $\overline{PQ}$와 $\overline{RS}$는 각각 $\overline{AB}$와 $\overline{CD}$의 수직이등분선이므로

$\triangle OAM$과 $\triangle OBM$에서

$\overline{AM}=\overline{BM}$, $\overline{OM}$은 공통인 변,

$\angle OMA=\angle OMB=90°$

이므로

$\triangle OAM \equiv \triangle OBM$ (SAS 합동)

$\therefore \angle AOM=\angle BOM$ ...... ㉠

$\triangle OBN$과 $\triangle OCN$에서

$\overline{BN}=\overline{CN}$, $\overline{ON}$은 공통인 변,

$\angle ONB=\angle ONC=90°$

이므로

$\triangle OBN \equiv \triangle OCN$ (SAS 합동)

$\therefore \angle BON=\angle CON$ ...... ㉡

㉠, ㉡에서

$\angle AOM+\angle CON=\angle BOM+\angle BON$

$\qquad\qquad\qquad\qquad =360°-90°-90°-135°$

$\qquad\qquad\qquad\qquad =45°$

02 **함정 피하기**

세 정삼각형의 길이가 다르므로 두 쌍의 합동인 삼각형을 찾아 대응변의 길이를 비교한다.

$\triangle ARC$와 $\triangle ABQ$에서

$\overline{AR}=\overline{AB}$, $\overline{AC}=\overline{AQ}$, $\angle RAC=60°+\angle BAC=\angle BAQ$

이므로 $\triangle ARC \equiv \triangle ABQ$ (SAS 합동)

$\therefore \overline{RC}=\overline{BQ}$ ...... ㉠

$\triangle APC$와 $\triangle QBC$에서

$\overline{CP}=\overline{CB}$, $\overline{AC}=\overline{QC}$, $\angle ACP=60°+\angle ACB=\angle QCB$

이므로 $\triangle APC \equiv \triangle QBC$ (SAS 합동)

$\therefore \overline{AP}=\overline{QB}$ ...... ㉡

㉠, ㉡에서 $\overline{AP}:\overline{BQ}:\overline{RC}=1:1:1$ 이므로

$a+b+c=1+1+1=3$

03 $\triangle DBE$와 $\triangle ABC$에서

$\overline{DB}=\overline{AB}$, $\overline{BE}=\overline{BC}$, $\angle DBE=60°-\angle EBA=\angle ABC$

이므로 $\triangle DBE \equiv \triangle ABC$ (SAS 합동)

$\therefore \overline{DE}=\overline{AC}$

$\triangle FEC$와 $\triangle ABC$에서

$\overline{FC}=\overline{AC}$, $\overline{EC}=\overline{BC}$, $\angle FCE=60°-\angle ECA=\angle ACB$

이므로 $\triangle FEC \equiv \triangle ABC$ (SAS 합동)

$\therefore \overline{EF}=\overline{BA}$

따라서 □AFED의 둘레의 길이는

$\overline{DE}+\overline{DA}+\overline{AF}+\overline{EF}=\overline{AC}+\overline{DA}+\overline{AF}+\overline{BA}$

$\qquad\qquad\qquad\qquad\qquad =5+8+5+8$

$\qquad\qquad\qquad\qquad\qquad =26$ (cm)

04 $\triangle AEF$와 $\triangle CDF$에서

$\overline{AE}=\overline{CD}$, $\angle AEF=\angle D=90°$,

$\angle AFE=\angle CFD$ (맞꼭지각)이므로

$\angle EAF=\angle DCF$

$\therefore \triangle AEF \equiv \triangle CDF$ (ASA 합동)

즉, $\overline{AF}=\overline{CF}$이므로

$$(\triangle AEF의 \ 둘레의 \ 길이)=\overline{AE}+\overline{EF}+\overline{FA}$$
$$=\overline{AE}+\overline{EF}+\overline{FC}$$
$$=\overline{AE}+\overline{EC}$$
$$=\overline{AB}+\overline{BC}$$
$$=6+8=14 \ (\text{cm})$$

05

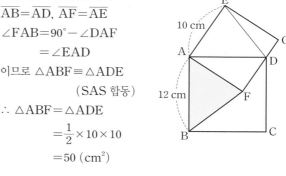

위의 그림과 같이 $\overline{FC}$를 그으면
$\angle FAC=\angle FCA=45°$이므로 $\triangle AFC$는 이등변삼각형이다.
$\triangle AFH$와 $\triangle CFG$에서
$\overline{FA}=\overline{FC}$, $\angle FAH=\angle FCG=45°$,
$\angle AFH=90°-\angle HFC=\angle CFG$
이므로 $\triangle AFH\equiv\triangle CFG$ (ASA 합동)
$\therefore \square FGCH=\triangle CFG+\triangle HFC$
$$=\triangle AFH+\triangle HFC$$
$$=\triangle AFC=\frac{1}{2}\triangle ABC$$
$$=\frac{1}{2}\times\left(\frac{1}{2}\times6\times6\right)$$
$$=9 \ (\text{cm}^2)$$

06

점 F에서 $\overline{AD}$에 내린 수선의 발을 H라 하면
$\triangle AEB$와 $\triangle AFH$에서
$\overline{AE}=\overline{AF}$, $\angle BAE=90°-\angle HAE=\angle HAF$,
$\angle AEB=90°-\angle BAE=90°-\angle HAF=\angle AFH$
이므로 $\triangle AEB\equiv\triangle AFH$ (ASA 합동)
이때, 점 F에서 $\overline{AD}$까지의 거리가 $\overline{FH}$이므로
$\overline{FH}=\overline{EB}=\overline{BC}-\overline{CE}=12-3=9 \ (\text{cm})$

07 함정 피하기

$\overline{AE}/\!/\overline{FG}$이므로 점 D에서 $\overline{AE}$에 내린 수선의 길이는 $\overline{EG}$의 길이와 같다.

$\triangle ABF$와 $\triangle ADE$에서
$\overline{AB}=\overline{AD}$, $\overline{AF}=\overline{AE}$
$\angle FAB=90°-\angle DAF$
$$=\angle EAD$$
이므로 $\triangle ABF\equiv\triangle ADE$
(SAS 합동)
$\therefore \triangle ABF=\triangle ADE$
$$=\frac{1}{2}\times10\times10$$
$$=50 \ (\text{cm}^2)$$

Level **4**   본문 32~33쪽

01 9개   **02** 19개   **03** 32°   **04** 15   **05** 20 cm²   **06** 25 cm²

01 풀이전략   변의 수직이등분선 위의 한 점에서 변의 양 끝 점을 이으면 이등변삼각형이 된다.

점 A를 중심으로 하고, $\overline{AB}$를 반지름으로 하는 원, 점 B를 중심으로 하고 $\overline{BC}$를 반지름으로 하는 원, 점 C를 중심으로 하고 $\overline{CA}$를 반지름으로 하는 원을 그리면 다음 그림과 같고, $\triangle ABC$가 정삼각형이므로 세 원의 반지름의 길이가 같다.

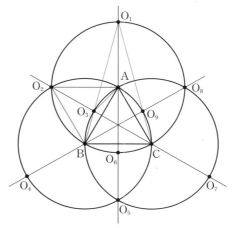

삼각형 O_1AB는 $\overline{O_1A}=\overline{AB}$인 이등변삼각형,
삼각형 O_1BC는 $\overline{O_1B}=\overline{O_1C}$인 이등변삼각형,
삼각형 O_1AC는 $\overline{O_1A}=\overline{AC}$인 이등변삼각형이다.
삼각형 O_2AB는 $\overline{O_2A}=\overline{O_2B}$인 이등변삼각형,

삼각형 O_2BC는 $\overline{O_2B}=\overline{BC}$인 이등변삼각형,

삼각형 O_2AC는 $\overline{O_2A}=\overline{AC}$인 이등변삼각형이다.

삼각형 O_3AB는 $\overline{O_3A}=\overline{O_3B}$인 이등변삼각형,

삼각형 O_3BC는 $\overline{BC}=\overline{O_3C}$인 이등변삼각형,

삼각형 O_3AC는 $\overline{CA}=\overline{O_3C}$인 이등변삼각형이다.

점 O_4, O_5, O_6, O_7, O_8, O_9에 대하여도 각각의 삼각형이 이등변삼각형이 됨을 알 수 있다.

따라서 $\triangle O'AB$, $\triangle O'BC$, $\triangle O'CA$가 이등변삼각형이 되도록 하는 $\triangle ABC$의 외부에 있는 점 O'은 모두 9개이다.

02 풀이전략 삼각형이 되려면 가장 긴 변의 길이가 나머지 두 변의 길이의 합보다 작아야 한다.

삼각형의 세 변의 길이를 a, b, c $(a \le b \le c)$라고 하면

(가장 긴 변의 길이)<(나머지 두 변의 길이의 합)이므로

$$c < \frac{27}{2}$$

a, b, c가 자연수이고 c가 가장 긴 변일 때,

① $c=13$이면 (a, b)는 $a+b=14$이므로

　 $(1, 13)$, $(2, 12)$, $\cdots$, $(7, 7)$의 7개

② $c=12$이면 (a, b)는 $a+b=15$이므로

　 $(3, 12)$, $(4, 11)$, $\cdots$, $(7, 8)$의 5개

③ $c=11$이면 (a, b)는 $a+b=16$이므로

　 $(5, 11)$, $(6, 10)$, $(7, 9)$, $(8, 8)$의 4개

④ $c=10$이면 (a, b)는 $a+b=17$이므로

　 $(7, 10)$, $(8, 9)$의 2개

⑤ $c=9$이면 (a, b)는 $a+b=18$이므로

　 $(9, 9)$의 1개

따라서 만들 수 있는 삼각형의 개수는

$7+5+4+2+1=19$(개)

03 풀이전략 보조선을 그어 합동인 삼각형을 찾는다.

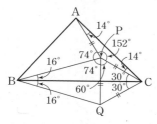

$\triangle PAC$에서 $\angle PAC = \angle PCA = 14°$이므로

$\overline{PA}=\overline{PC}$, $\angle APC = 152°$이다.

$\triangle PBC \equiv \triangle QBC$인 점 Q를 그리면

$\triangle PQC$에서 $\angle PCQ = 60°$, $\overline{PC}=\overline{QC}$이므로 정삼각형이 된다.

$\therefore \angle CPQ = 60°$, $\overline{PC}=\overline{PQ}$, $\angle BPQ = 74°$

또, $\angle APB = 360° - \angle APC - \angle CPQ - \angle QPB = 74°$

$\triangle ABP$와 $\triangle QBP$에서

$\angle APB = \angle QPB$, $\overline{AP}=\overline{QP}$, $\overline{BP}$가 공통인 변

이므로

$\triangle ABP \equiv \triangle QBP$ (SAS 합동)

$\therefore \angle ABP = \angle QBP = 32°$

04 풀이전략 삼각형의 두 변의 길이가 반지름으로 같으므로 이등변삼각형이다.

$\triangle OA_0A_1 \equiv \triangle OA_1A_2 \equiv \triangle OA_2A_3 \equiv \cdots \equiv \triangle OA_{n-1}A_n$인 삼각형 n개가 생기므로

$$\angle A_0OA_1 = \angle A_1OA_2 = \cdots = \angle A_{n-1}OA_n = \frac{180°}{n}$$

$\triangle OA_1A_{n-1}$에서

$\angle A_1OA_{n-1} = \frac{180°}{n} \times (n-2)$이므로

$\angle OA_1A_{n-1} = \frac{1}{2}\left\{180° - \frac{180°}{n} \times (n-2)\right\}$

$\triangle OA_1A_{n-2}$에서

$\angle A_1OA_{n-2} = \frac{180°}{n} \times (n-3)$이므로

$\angle OA_1A_{n-2} = \frac{1}{2}\left\{180° - \frac{180°}{n} \times (n-3)\right\}$

따라서

$\angle A_{n-1}A_1A_{n-2}$

$= \angle OA_1A_{n-2} - \angle OA_1A_{n-1}$

$= \frac{1}{2}\left\{180° - \frac{180°}{n} \times (n-3)\right\} - \frac{1}{2}\left\{180° - \frac{180°}{n} \times (n-2)\right\}$

$= \frac{90°}{n}$

이고 $\frac{90°}{n} = 6°$에서

$n = 15$

05 풀이전략 두 직선이 평행한 경우 엇각의 크기가 같다.

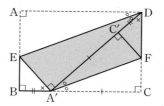

겹쳐지므로 $\triangle AED \equiv \triangle A'ED$, $\triangle A'FC \equiv \triangle A'FC'$

$\therefore \overline{AD}=\overline{A'D}=\overline{BC}$, $\overline{A'C}=\overline{A'C'}$, $\overline{CF}=\overline{C'F}$

$\overline{AD} /\!/ \overline{BC}$이므로 $\angle ADA' = \angle CA'D$ (엇각)

$\therefore \angle C'DF = 90° - \angle ADA' = 90° - \angle CA'D = \angle BA'E$

직사각형이므로 $\angle DC'F = \angle A'BE = 90°$

$\overline{DC'} = \overline{A'D} - \overline{A'C'} = \overline{BC} - \overline{A'C} = \overline{A'B}$

$\therefore \triangle C'DF \equiv \triangle BA'E$ (ASA 합동)

$\therefore \square A'FDE = \triangle A'DE + \triangle A'FC' + \triangle C'DF$

$\qquad = \dfrac{1}{2} \times \square ABCD$

$\qquad = \dfrac{1}{2} \times 8 \times 5$

$\qquad = 20 \, (\text{cm}^2)$

06

풀이전략 오각형을 여러 개의 삼각형으로 나누어 합동인 삼각형을 만든다.

오각형 ABCDE에서 $\overline{AC}$, $\overline{AD}$를 그으면

$\overline{AB} = \overline{AE}$, $\angle ABC = \angle AED = 90°$이므로

그림과 같이 $\overline{AB}$와 $\overline{AE}$가 겹치도록 $\triangle ABC$를 이동하면

$\triangle ADC'$이 되고

$\overline{DC'} = \overline{DE} + \overline{BC} = 5 \, \text{cm}$가 된다.

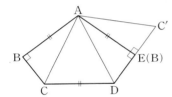

$\overline{AC} = \overline{AC'}$, $\overline{CD} = \overline{DC'} = 5 \, \text{cm}$, $\overline{AD}$는 공통인 변이므로

$\triangle ACD \equiv \triangle AC'D$ (SSS 합동)

$\therefore$ (오각형 ABCDE의 넓이) $= \triangle ACD + \triangle AC'D$

$\qquad = 2 \times \triangle AC'D$

$\qquad = 2 \times \dfrac{1}{2} \times 5 \times 5$

$\qquad = 25 (\text{cm}^2)$

대단원 마무리 Level 종합

본문 34~35쪽

01 $17:18$ **02** 11 **03** ④ **04** $55°$ **05** ⑤

06 $21 \, \text{cm}^2$ **07** $14 \, \text{cm}$ **08** $60°$

01

$\overline{AP} = \dfrac{2}{5}\overline{AB}$, $\overline{BP} = \dfrac{3}{5}\overline{AB}$, $\overline{AQ} = \dfrac{4}{7}\overline{AB}$, $\overline{BQ} = \dfrac{3}{7}\overline{AB}$

이므로

$\overline{PQ} = \overline{AQ} - \overline{AP} = \dfrac{4}{7}\overline{AB} - \dfrac{2}{5}\overline{AB} = \dfrac{6}{35}\overline{AB}$

$\overline{AM} = \overline{AP} + \overline{PM} = \overline{AP} + \overline{PQ} \times \dfrac{1}{2}$

$\qquad = \dfrac{2}{5}\overline{AB} + \dfrac{6}{35}\overline{AB} \times \dfrac{1}{2}$

$\qquad = \dfrac{17}{35}\overline{AB}$

$\overline{MB} = \overline{AB} - \overline{AM} = \overline{AB} - \dfrac{17}{35}\overline{AB} = \dfrac{18}{35}\overline{AB}$이므로

$\overline{AM} : \overline{MB} = \dfrac{17}{35}\overline{AB} : \dfrac{18}{35}\overline{AB}$

$\qquad\qquad = 17 : 18$

02

실수하기 쉬운 부분 짚어보기

꼬인 위치인 경우 한 평면 위에 있지 않다.

모서리 HI와 꼬인 위치에 있는 모서리는

모서리 AB, CD, DE, AG, EJ, DF로

$a = 6$

면 ABHG와 평행한 모서리의 개수는

모서리 DE, DF, FI, IJ, JE로

$b = 5$

$\therefore a + b = 6 + 5 = 11$

03

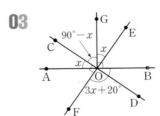

$\angle COG = 90° - \angle x$

$\angle AOC = 90° - (90° - \angle x) = \angle x$

$\angle AOE = \angle FOB$ (맞꼭지각)이므로

$\angle x + (90° - \angle x) + \angle x = 3\angle x + 20°$

$\therefore \angle x = 35°$

04

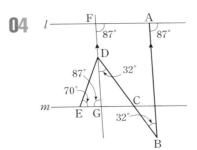

$\overline{AB}$와 평행하고 점 D를 지나는 직선 FG를 그으면

∠ABC=∠CDG=32° (엇각)

∠AFG=87° (동위각)이고

∠DGE=∠AFG (엇각)이므로

∠DGE=87°

△DEG에서

∠EDG=180°−70°−87°

=23°

∴ ∠x=23°+32°=55°

05

합동인 두 도형의 대응하는 변과 각의 위치를 확인한다.

대응하는 두 변의 길이와 그 끼인각의 크기가 각각 같을 때 합동
이므로

$\overline{AB}=\overline{DE}$

대응하는 한 변의 길이와 양 끝 각의 크기가 각각 같을 때 합동
이므로

⑤ ∠C=∠F

06

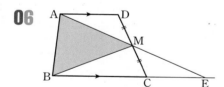

$\overline{AM}$의 연장선과 $\overline{BC}$의 연장선의 교점을 E라고 하면

△ADM과 △ECM에서

$\overline{DM}=\overline{CM}$, ∠ADM=∠ECM (엇각),

∠AMD=∠EMC (맞꼭지각)

이므로 △ADM≡△ECM (ASA 합동)

∴ $\overline{AM}=\overline{EM}$

따라서

$\triangle ABM=\dfrac{1}{2}\times\triangle ABE$

$=\dfrac{1}{2}\times\square ABCD$

$=\dfrac{1}{2}\times 42$

$=21\,(cm^2)$

07

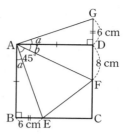

∠BAE=∠a, ∠DAF=∠b라고 하면

∠a+∠b=45°

$\overline{CD}$의 연장선 위에 $\overline{BE}=\overline{DG}$인 점 G를 잡으면

△ABE와 △ADG에서

$\overline{AB}=\overline{AD}$, $\overline{BE}=\overline{DG}$, ∠ABE=∠ADG=90°

이므로 △ABE≡△ADG (SAS 합동)

∴ $\overline{AE}=\overline{AG}$, ∠EAB=∠GAD=∠a

△AEF와 △AGF에서

$\overline{AE}=\overline{AG}$, $\overline{AF}$는 공통인 변, ∠EAF=∠GAF=45°

이므로 △AEF≡△AGF (SAS 합동)

∴ $\overline{EF}=\overline{GF}=\overline{GD}+\overline{DF}=\overline{BE}+\overline{DF}$

=6+8=14 (cm)

08

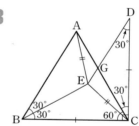

$\overline{BE}$를 그으면 △BCE와 △DCE에서

$\overline{BC}=\overline{DC}$, $\overline{EC}$는 공통인 변,

$\angle BCE=\angle DCE=\dfrac{1}{2}\times 90°=45°$

이므로

△BCE≡△DCE (SAS 합동)

∴ ∠EBC=∠EDC

또, △ABE와 △CBE에서

$\overline{AB}=\overline{BC}$, $\overline{BE}$는 공통인 변, $\overline{AE}=\overline{CE}$

이므로

△ABE≡△CBE (SSS 합동)

∴ ∠EBA=∠EBC

∠EBA+∠EBC=60°이므로

∠EBA=∠EBC=∠EDC=30°

∴ ∠AGD=∠GDC+∠GCD

=30°+(90°−60°)

=60°

3 다각형의 성질

본문 38~41쪽

01 14개   **02** ②, ④   **03** 160°   **04** 13   **05** 정구각형   **06** 54°

07 45°   **08** 22.5°   **09** 72°   **10** 360°   **11** 100°   **12** 35개   **13** 110°

14 360°   **15** 3   **16** 75°

---

01 함정 피하기

정삼각형 뿐만 아니라 정육각형도 찾을 수 있다.

① 정삼각형 △ 인 경우 : 9개

② 정삼각형 △ 인 경우 : 3개

③ 정삼각형 △ 인 경우 : 1개

④ 정육각형 ⬡ 인 경우 : 1개

따라서 구하는 크고 작은 정다각형의 개수는
9＋3＋1＋1＝14(개)

02 ② 다각형의 한 꼭짓점에서의 외각은 2개이고, 그 크기는 서로 같다.
④ 마름모와 같이 네 변의 길이가 같지만 네 내각의 크기가 모두 같지 않을 수 있다.
⑤ (내각의 크기)＝180°－(외각의 크기)이므로 내각의 크기가 커질수록 외각의 크기는 작아진다.

03 삼각형의 세 내각의 크기를 $\angle x$, $3\angle x$, $5\angle x$라고 하면
$\angle x+3\angle x+5\angle x=180°$, $9\angle x=180°$
$\therefore \angle x=20°$
(한 외각의 크기)＝180°－(한 내각의 크기)이므로 한 외각의 크기가 가장 크려면 한 내각의 크기가 가장 작아야 한다.
따라서 크기가 가장 큰 외각의 크기는
$180°-20°=160°$

04 실수하기 쉬운 부분 짚어보기

주어진 다각형을 삼각형으로 나누는 경우 시작점의 위치를 확인한다.

내부의 한 점에서 선분을 그을 수 있는 꼭짓점의 개수가 8개이므로 $a=8$
한 꼭짓점에서 그을 수 있는 대각선의 개수는 $b=8-3=5$
$\therefore a+b=8+5=13$

05 (가), (나) 정다각형
(다) $\dfrac{n(n-3)}{2}=27$
$n(n-3)=54=9\times(9-3)$
따라서 구하는 다각형은 정구각형이다.

06

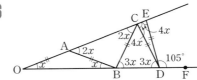

$\angle AOB=\angle x$라고 하면 이등변삼각형의 두 내각의 크기가 같고, 삼각형의 한 외각의 크기는 그와 이웃하지 않는 두 내각의 크기의 합과 같으므로 △ODE에서
$\angle x+4\angle x=105°$ $\therefore \angle x=21°$
$\therefore \angle BCD=180°-6\angle x=180°-6\times21°=54°$

07

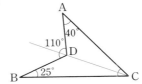

위의 그림과 같이 직선 CD를 그으면
$(\angle ACD+40°)+(\angle BCD+25°)=110°$
$\therefore \angle ACD+\angle BCD=\angle C=45°$

08 $\angle A=\angle C=45°$
삼각형의 한 외각의 크기는 그와 이웃하지 않는 두 내각의 크기의 합과 같으므로
$\angle CBD+\angle CDB=\angle DCE$
$\dfrac{1}{2}\times90°+\angle CDB=\dfrac{1}{2}(180°-45°)$
따라서 $\angle CDB=67.5°-45°=22.5°$

09

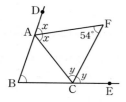

$\angle\text{CAF}=\angle\text{FAD}=\angle x$,

$\angle\text{ACF}=\angle\text{FCE}=\angle y$라고 하면

$\angle x+\angle y+54°=180°$

$\therefore \angle x+\angle y=126°$

$\angle\text{BAC}+2\angle x=180°$, $\angle\text{BCA}+2\angle y=180°$이므로

$\angle\text{BAC}+\angle\text{BCA}=180°-2\angle x+180°-2\angle y$

$\qquad\qquad\qquad=360°-2(\angle x+\angle y)$

$\qquad\qquad\qquad=360°-2\times126°$

$\qquad\qquad\qquad=108°$

$\therefore \angle\text{ABC}=180°-(\angle\text{BAC}+\angle\text{BCA})$

$\qquad\qquad\quad=180°-108°$

$\qquad\qquad\quad=72°$

10 함정 피하기

두 내각의 크기를 알 수 있는 삼각형을 찾은 후 두 내각의 크기의 합과 같은 외각을 찾는다.

삼각형의 한 외각의 크기는 그와 이웃하지 않는 두 내각의 크기의 합과 같으므로

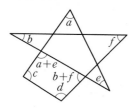

$(\angle a+\angle e)+\angle c+\angle d+(\angle b+\angle f)=360°$

$\therefore \angle a+\angle b+\angle c+\angle d+\angle e+\angle f=360°$

11 (한 내각의 크기)$=180°-$(한 외각의 크기)

이므로 $180°-(160°-\angle x)=\angle x+20°$

오각형의 내각의 크기의 합은

$180°\times(5-2)=540°$이므로

$135°+(\angle x-5°)+(\angle x+20°)+\angle x+90°=540°$

$3\angle x+240°=540°$

$\therefore \angle x=100°$

12 n각형의 내각의 크기의 합은

$180°\times(n-2)$이므로

$180°\times(n-2)=1440°$

$n-2=8$ $\therefore n=10$

따라서 십각형의 대각선의 개수는

$\dfrac{10\times(10-3)}{2}=35$(개)

13

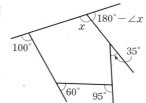

다각형의 외각의 크기의 합은 $360°$이고

(한 외각의 크기)$=180°-$(한 내각의 크기)이므로

$100°+60°+95°+35°+(180°-\angle x)=360°$

$\therefore \angle x=110°$

14

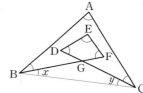

위의 그림과 같이 $\overline{\text{BC}}$를 그으면

$\angle\text{GBC}=\angle x$, $\angle\text{GCB}=\angle y$라고 할 때,

$\angle\text{BGC}=180°-(\angle x+\angle y)$

$\angle\text{A}+\angle\text{B}+\angle\text{C}=180°-(\angle x+\angle y)$

이므로 $\angle\text{A}+\angle\text{B}+\angle\text{C}=\angle\text{BGC}$

$\angle\text{D}+\angle\text{E}+\angle\text{F}=360°-\angle\text{DGF}$

$\qquad\qquad\qquad=360°-\angle\text{BGC}$

따라서

$(\angle\text{A}+\angle\text{B}+\angle\text{C})+(\angle\text{D}+\angle\text{E}+\angle\text{F})$

$=\angle\text{BGC}+(360°-\angle\text{BGC})$

$=360°$

15 정오각형의 한 외각의 크기는 $\dfrac{360°}{5}=72°$이므로

$\angle\text{FBC}=\angle\text{FCB}=72°$

$\therefore \angle\text{BFC}=180°-72°\times2=36°$

정오각형의 한 내각의 크기는

$180°-72°=108°$

삼각형 ABC는 $\overline{AB}=\overline{BC}$인 이등변삼각형이고
$\angle ABC=108°$이므로 $\angle BAC=36°$
같은 방법으로 $\triangle ABE$에서 $\angle ABE=36°$이므로
$\angle CGE=\angle AGB=180°-36°\times 2=108°$
$\therefore \dfrac{\angle CGE}{\angle BFC}=\dfrac{108°}{36°}=3$

16

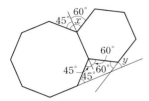

정팔각형의 한 외각의 크기는 $\dfrac{360°}{8}=45°$

정육각형의 한 외각의 크기는 $\dfrac{360°}{6}=60°$

$\therefore \angle x=45°+60°=105°$

$(180°-\angle y)+45°+(45°+60°)+60°=360°$에서

$\angle y=30°$

$\therefore \angle x-\angle y=105°-30°=75°$

Level ②   본문 42~45쪽

01 14개 **02** 11 **03** 15번 **04** 186 **05** 38° **06** 146° **07** 220°

08 54개 **09** 168° **10** 75° **11** 360° **12** 217° **13** 360° **14** 66°

15 ② **16** 정구각형

---

01   함정 피하기

정사각형의 한 변이 좌우. 상하의 점을 연결한 경우 뿐만 아니라 대각선 상의 위치에 있는 두 점을 연결한 경우도 가능하다.

① ▢인 경우: 8개

② ▢인 경우: 3개

③ ◇인 경우: 3개

따라서 만들 수 있는 정사각형의 개수는
$8+3+3=14$(개)

02

n각형에서
꼭짓점의 개수는 $a=n$
변의 개수는 $b=n$
한 꼭짓점에서 그을 수 있는 대각선의 개수는
$c=n-3$
$a+b+c=n+n+(n-3)=30$에서
$3n-3=30,\ 3n=33$
$\therefore n=11$

03   실수하기 쉬운 부분 짚어보기

모든 사람과 악수를 하므로 양 옆에 앉은 사람과 악수하는 경우를 포함하여 구한다.

양 옆에 앉은 사람과 악수하는 횟수는 육각형의 변의 개수와 같고, 양 옆에 있지 않은 사람과 악수하는 횟수는 육각형의 대각선의 개수와 같으므로
$6+\dfrac{6\times(6-3)}{2}=6+9=15$(번)

04

$\triangle ABD$에서
$\angle ADB=\dfrac{1}{2}(180°-\angle A)=90°-\dfrac{1}{2}\angle A$
$\triangle BCE$에서 $\angle BEC=\angle x+\angle y$
$\triangle BED$에서
$\angle x+(\angle x+\angle y)+\left(90°-\dfrac{1}{2}\angle A\right)=180°$
$\dfrac{1}{2}\angle A=2\angle x+\angle y-90°$
$\therefore \angle A=4\angle x+2\angle y-180°$
따라서 $a=4$, $b=2$, $c=180$이므로
$a+b+c=4+2+180=186$

05

$\triangle ABC$에서 $\angle B+\angle C=180°-76°=104°$
$\triangle BEC$에서
$\angle BEC+\dfrac{1}{2}\angle B=\dfrac{1}{2}(180°-\angle C)$
$\therefore \angle BEC=90°-\dfrac{1}{2}(\angle B+\angle C)$
$\qquad\qquad =90°-\dfrac{1}{2}\times 104°=38°$

06

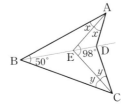

$\angle A = 2\angle x$, $\angle C = 2\angle y$라고 하고
직선 BE를 그으면
$98° = 50° + \angle x + \angle y$이므로
$\angle x + \angle y = 48°$
$\therefore \angle ADC = 50° + 2\angle x + 2\angle y$
$\qquad = 50° + 2(\angle x + \angle y)$
$\qquad = 50° + 2 \times 48° = 146°$

07 $\triangle ADG$에서 $\angle A + \angle D = 80°$
$\triangle AFJ$에서 $\angle AFJ = (180° - \angle A) \times \dfrac{1}{2}$이므로
$\angle x = 180° - \angle AFJ = 90° + \dfrac{1}{2}\angle A$
같은 방법으로
$\angle y = 180° - \angle DIH = 90° + \dfrac{1}{2}\angle D$
$\therefore \angle x + \angle y = \left(90° + \dfrac{1}{2}\angle A\right) + \left(90° + \dfrac{1}{2}\angle D\right)$
$\qquad = 180° + \dfrac{1}{2}(\angle A + \angle D)$
$\qquad = 180° + \dfrac{1}{2} \times 80°$
$\qquad = 220°$

08 함정 피하기

각 꼭짓점에서 변의 연장선을 그으면 외각이 2개 생기지만 맞꼭지각으로 크기가 같으므로 내각 1개당 외각은 하나만 생각하기로 한다.

한 꼭짓점에서
(한 내각의 크기) + (한 외각의 크기) = 180°
이므로 n개의 꼭짓점에서
$180° \times n = 2160°$
$\therefore n = 12$
따라서 십이각형의 대각선의 개수는
$\dfrac{12 \times (12-3)}{2} = 54(개)$

09 구각형의 대각선의 개수는 $\dfrac{9 \times (9-3)}{2} = 27(개)$
n각형의 한 꼭짓점에서 그을 수 있는 대각선의 개수는
$n - 3 = 27$이므로
$n = 30$
따라서 정삼십각형의 한 내각의 크기는
$\dfrac{180° \times (30-2)}{30} = 168°$

10 $\angle BAF = \angle a$, $\angle ABF = \angle b$라고 하면
$2\angle a + 2\angle b + (180° - 80°) + 130° + 100°$
$= 180° \times (5-2)$
$2(\angle a + \angle b) = 210°$
$\angle a + \angle b = 105°$
$\therefore \angle AFB = 180° - (\angle a + \angle b) = 75°$

11 함정 피하기

그려진 다각형을 확인하고 색칠한 각의 위치를 확인한다.

(색칠한 각의 크기의 합)
= (팔각형의 내각의 크기의 합)
$\qquad\qquad$ − (사각형의 내각의 크기의 합) $\times 2$
$= 180° \times (8-2) - 360° \times 2$
$= 360°$

12 삼각형의 한 외각의 크기는 그와 이웃하지 않는 두 내각의 크기의 합과 같고, 5개의 삼각형의 외각을 표시하면 그림과 같이 오각형의 외각의 크기의 합과 같아진다.

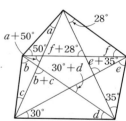

$(\angle a + 50°) + (\angle b + \angle c) + (30° + \angle d) + (\angle e + 35°)$
$+ (\angle f + 28°) = 360°$
$\angle a + \angle b + \angle c + \angle d + \angle e + \angle f + 143° = 360°$
$\therefore \angle a + \angle b + \angle c + \angle d + \angle e + \angle f = 217°$

13 삼각형의 한 외각의 크기는 그와 이웃하지 않는 두 내각의 크기의 합과 같고, 4개의 삼각형의 외각을 표시하면 그림과 같이 사각형의 외각의 크기의 합과 같아진다.

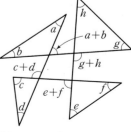

따라서
$\angle a + \angle b + \angle c + \angle d + \angle e + \angle f + \angle g + \angle h = 360°$

14 정오각형의 한 내각의 크기는

$$180° - \frac{360°}{5} = 108°$$

정사각형의 한 내각의 크기는 $90°$

정삼각형의 한 내각의 크기는 $60°$

$\triangle ABI$에서

$\angle ABI = 108° - 90° = 18°$

$\angle BAI = 108° - 60° = 48°$

$\therefore \angle AIF = 18° + 48° = 66°$

15

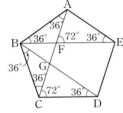

④ 외각의 크기의 합은 $360°$이고 5개의 외각의 크기가 같으므로 한 외각의 크기는

$$\frac{360°}{5} = 72°$$

② $\angle ABC = 180° - 72° = 108°$이고 $\triangle ABC$가 이등변삼각형이므로

$$\angle BAC = (180° - 108°) \times \frac{1}{2} = 36°$$

같은 방법으로 $\triangle ABE$에서 $\angle ABE = 36°$

$\therefore \angle AFE = 36° + 36° = 72°$

① $\angle AFE = \angle ACD = 72°$

동위각의 크기가 같으므로 $\overline{CD} /\!/ \overline{BE}$

⑤ $\angle ABF = \angle BAF = 36°$이므로 $\triangle ABF$는 이등변삼각형이다.

③ $\triangle CDG$와 $\triangle AEF$에서

$\overline{CD} = \overline{AE}$, $\angle DCG = \angle EAF = 72°$,

$\angle CDG = \angle AEF = 36°$

이므로 $\triangle CDG \equiv \triangle AEF$ (ASA 합동)

16 실수하기 쉬운 부분 짚어보기

구하는 다각형을 적을 때 정다각형인 경우 '정'을 생략하지 않는다.

(가) 정다각형이다.

(나) (한 외각의 크기) $= 180° \times \frac{2}{2+7} = 40°$이므로

$$\frac{360°}{40°} = 9$$

따라서 구하는 정다각형은 정구각형이다.

Level 3 본문 46~47쪽

01 60개 **02** 83 **03** 91° **04** 1260° **05** 1080°

06 1260° **07** 24개

---

01 함정 피하기

정삼각형의 모양이 △인 경우와 ▽인 경우를 나누어 구한다.

한 변의 길이가 1인 정삼각형의 개수는

$(1+3+5+7) \times 2 = 32$(개)

한 변의 길이가 2인 정삼각형의 개수는 $9 \times 2 = 18$(개)

한 변의 길이가 3인 정삼각형의 개수는 $4 \times 2 = 8$(개)

한 변의 길이가 4인 정삼각형의 개수는 2(개)

따라서 만들 수 있는 정삼각형의 개수는 모두

$32 + 18 + 8 + 2 = 60$(개)이다.

02 정십사각형의 한 꼭짓점에서 그을 수 있는 대각선의 개수는 $14 - 3 = 11$(개)이고, 이 중 가장 긴 대각선에 대하여 길이가 같은 대각선이 대칭되므로 길이가 서로 다른 대각선의 개수는 6개이므로 $a = 6$

정십사각형의 대각선의 총 개수는 $\frac{14(14-3)}{2} = 77$(개)이므로

$b = 77$

$\therefore a + b = 6 + 77 = 83$

03

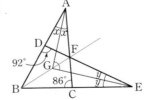

$\angle A = 2\angle x$, $\angle E = 2\angle y$라고 하면

$\triangle ABC$에서 $2\angle x + \angle B = 180° - 86° = 94°$ …… ㉠

$\triangle DBE$에서 $2\angle y + \angle B = 180° - 92° = 88°$ …… ㉡

㉠+㉡을 하면

$2\angle B + 2\angle x + 2\angle y = 94° + 88°$

$\angle B + \angle x + \angle y = \frac{182°}{2} = 91°$

직선 BG를 그으면

$\angle AGE = (\angle DBG + \angle x) + (\angle CBG + \angle y)$

$= \angle B + \angle x + \angle y = 91°$

04 찢어진 다각형의 꼭짓점의 개수를 n개라고 하면 한 꼭짓점에서 그을 수 있는 대각선의 개수는 $(n-3)$개이므로

$n-3=6$ ∴ $n=9$

따라서 구하는 다각형은 구각형이므로 구각형의 내각의 크기의 합은

$180° \times (9-2) = 1260°$

05 삼각형, 사각형, 오각형으로 나누어 지는 도형은 오른쪽 그림과 같이 팔각형이므로
내각의 크기의 합은
$180° \times (8-2) = 1080°$

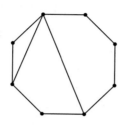

06 십일각형의 외각을 표시하면 오른쪽 그림과 같다.
따라서
$\angle A + \angle B + \angle C + \angle D +$
$\angle E + \angle F + \angle G + \angle H +$
$\angle I + \angle J + \angle K$
= (삼각형의 내각의 크기의 합)
　　$\times 11 -$ (십일각형의 외각의 크기의 합)$\times 2$
$= 180° \times 11 - 360° \times 2$
$= 1260°$

07

한 꼭짓점에서 그은 선분의 길이가 같아지는 두 꼭짓점을 찾는다.

오른쪽 그림의 점 A에서
$\overline{AB} = \overline{AH}$, $\overline{AC} = \overline{AG}$,
$\overline{AD} = \overline{AF}$이므로
$\triangle ABH$, $\triangle ACG$, $\triangle ADF$
는 모두 이등변삼각형이다.
같은 방법으로 각 꼭짓점에서
만들 수 있는 이등변삼각형의
개수는 각각 3개이므로
$8 \times 3 = 24$(개)

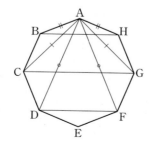

Level ④ 본문 48~49쪽

01 $(n-2)^2$　**02** $79°$　**03** 29　**04** 22개　**05** $120°$

06 $1800°$

01 **풀이전략** $\overline{A_1 A_{n+1}}$에 의해 나누어진 도형의 꼭짓점의 개수를 구한다.

$\overline{A_1 A_{n+1}}$에 의해 왼쪽은 $(n-1)$개, 오른쪽은 n개의 점이 있고 $\overline{A_1 A_{n+1}}$과 만나지 않는 대각선은 주어진 점 중에서 이웃하지 않는 점을 연결한 선분의 개수이므로

n개의 점인 경우 대각선의 개수는

$(n-2) + (n-3) + \cdots + 1 = \dfrac{(n-2)(n-1)}{2}$

$(n-1)$개의 점인 경우 대각선의 개수는

$(n-3) + (n-4) + \cdots + 1 = \dfrac{(n-3)(n-2)}{2}$

$\therefore \dfrac{(n-2)(n-1)}{2} + \dfrac{(n-3)(n-2)}{2}$

$\quad = \dfrac{(n-2)(n-1+n-3)}{2} = \dfrac{2(n-2)^2}{2} = (n-2)^2$

02 **풀이전략** 삼각형의 한 외각의 크기는 그와 이웃하지 않는 두 내각의 크기의 합과 같다.

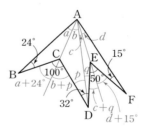

직선 AC, AD, AE를 그으면
$\angle p + \angle q = 32°$
$100° = (\angle a + 24°) + (\angle b + \angle p)$, $\angle a + \angle b = 76° - \angle p$
$50° = (\angle c + \angle q) + (\angle d + 15°)$, $\angle c + \angle d = 35° - \angle q$
$\therefore \angle BAF = \angle a + \angle b + \angle c + \angle d$
$\qquad = (76° - \angle p) + (35° - \angle q)$
$\qquad = 111° - (\angle p + \angle q)$
$\qquad = 111° - 32° = 79°$

03 **풀이전략** 세 다각형의 꼭짓점의 개수를 비를 이용하여 나타낸다.

세 다각형의 한 꼭짓점에서 그은 대각선의 개수를 각각 $2k$개, $3k$개, $5k$개 (k는 자연수)라고 하면

세 다각형의 꼭짓점의 개수는 각각 $(2k+3)$개, $(3k+3)$개, $(5k+3)$개이다.

이때 세 다각형의 내각의 크기의 합은

$180° \times (2k+3-2) + 180° \times (3k+3-2) + 180°$

$\times (5k+3-2) = 4140°$

$180° \times (10k+3) = 4140°$, $10k+3=23$ $\therefore k=2$

따라서 세 다각형의 꼭짓점의 개수는 7개, 9개, 13개이므로 꼭짓점의 개수의 합은

$7+9+13=29$

04 〖풀이전략〗 정n각형의 한 내각의 크기는 $180° - \frac{360°}{n}$이다.

정n각형의 한 내각의 크기는 $180° - \frac{360°}{n}$이고,

이것이 자연수가 되려면 n은 360의 약수이어야 한다.

$360 = 2^3 \times 3^2 \times 5$이므로 약수의 개수는

$(3+1) \times (2+1) \times (1+1) = 24$(개)

다각형이므로 $n \geq 3$

따라서 360의 약수 중 1과 2를 제외하면 $n=22$(개)

05 〖풀이전략〗 두 직선이 평행하면 동위각과 엇각의 크기가 각각 같다.

$\angle CDF = \angle x$, $\angle GAE = 4\angle x$라 하고

$\overline{BE}$의 연장선과 직선 l의 교점을 H라 하면

$\triangle ABE$에서

$\angle BAE = 180° - \frac{360°}{5} = 108°$

$\overline{AB} = \overline{AE}$이므로

$\angle ABE = \angle AEB = \frac{1}{2}(180° - 108°) = 36°$

$\therefore \angle EBC = 108° - 36° = 72°$

$\angle HBC = 180° - 72° = 108° = \angle BCD$ (엇각)이므로

$\overline{HE} /\!/ \overline{CD}$이다.

$\overline{HE}$의 연장선과 직선 m의 교점을 I라고 하면

$\angle AHB = \angle EID$ (엇각), $\angle EID = \angle CDF$ (동위각)이므로

$\angle AHB = \angle CDF$

$\angle AHE = \angle x$, $\angle GAE = 4\angle x$

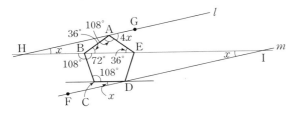

$\triangle AHE$에서 $\angle AHE + \angle AEH = \angle GAE$이므로

$\angle x + 36° = 4\angle x$

$\therefore \angle x = 12°$

따라서 $\angle EDF = 108° + 12° = 120°$

06 〖풀이전략〗 볼록다각형이 되도록 보조선을 그은 후 규칙을 찾는다.

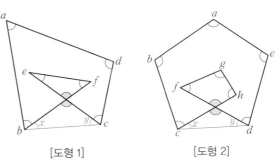

[도형 1]　　　　　[도형 2]

위의 그림과 같이 보조선을 그으면 색칠한 각은 맞꼭지각으로 그 크기가 $180° - (\angle x + \angle y)$로 같다.

[도형 1]에서

$P(4, 2)$

$= \angle a + \angle b + \angle c + \angle d + \angle e + \angle f$

$=$ (사각형의 내각의 크기의 합) $- (\angle x + \angle y)$

　　$+$ (삼각형의 내각의 크기의 합) $- \{180° - (\angle x + \angle y)\}$

$=$ (사각형의 내각의 크기의 합)

　　$+$ (삼각형의 내각의 크기의 합) $- 180°$

$= 360°$

[도형 2]에서

$P(5, 3)$

$= \angle a + \angle b + \angle c + \angle d + \angle e + \angle f + \angle g + \angle h$

$=$ (오각형의 내각의 크기의 합) $- (\angle x + \angle y)$

　　$+$ (사각형의 내각의 크기의 합) $- \{180° - (\angle x + \angle y)\}$

$=$ (오각형의 내각의 크기의 합)

　　$+$ (사각형의 내각의 크기의 합) $- 180°$

$= 720°$

그러므로

$P(p, q) =$ (p각형의 내각의 크기의 합)

　　　　$+ \{((q+1)각형의 내각의 크기의 합)\} - 180°$

임을 알 수 있다.

따라서

$P(10, 4)$

$=$ (십각형의 내각의 크기의 합)

　　$+$ (오각형의 내각의 크기의 합) $- 180°$

$= 180° \times (10-2) + 180° \times (5-2) - 180°$

$= 1800°$

4 부채꼴의 성질

본문 54~57쪽

01 16   **02** 26 cm   **03** 20°   **04** ③, ⑤   **05** 32 cm

06 18°   **07** 6 cm   **08** 36 cm   **09** 80π   **10** 45°

11 $(4\pi+6)$ cm   **12** $(32\pi-64)$ cm²   **13** $(54-9\pi)$ cm²

14 $(36\pi-72)$ cm²   **15** 2π cm   **16** $(40+4\pi)$ cm

---

01 실수하기 쉬운 부분 짚어보기

가장 긴 현은 지름이고, 반원은 활꼴이면서 부채꼴이다.

가장 긴 현의 길이는 지름이므로 $a=8$ (cm)

가장 긴 현과 호로 둘러싸인 활꼴은 반원이므로

$$\pi \times 4^2 \times \frac{180}{360} = 8\pi \text{ (cm}^2) \qquad \therefore b=8$$

$$\therefore a+b=8+8=16$$

02

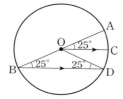

$\overline{OC} \, /\!/ \, \overline{BD}$이므로

∠OBD=∠AOC=25° (동위각)

$\overline{OD}$를 그으면 △OBD는 이등변삼각형이므로

∠OBD=∠ODB=25°

∠BOD=180°-25°×2=130°

호의 길이는 중심각의 크기에 정비례하므로

∠AOC : ∠BOD=25° : 130°=5 : $\widehat{BD}$

$$\therefore \widehat{BD}=\frac{130° \times 5}{25°}=26 \text{ (cm)}$$

03 부채꼴의 넓이는 중심각의 크기에 정비례하므로

∠x : ∠x+30°=8 : 20=2 : 5

5∠x=2(∠x+30°)

5∠x=2∠x+60°, 3∠x=60°

$\therefore$ ∠x=20°

04 함정 피하기

중심각의 크기가 같은 경우와 중심각의 크기가 정비례하는 경우를 그림을 그려 확인한다.

① 중심각의 크기를 알 수 없으므로 호의 길이를 비교할 수 없다.

② $\overline{AB}<3\overline{CD}$

③ 호의 길이는 중심각의 크기에 정비례하므로

$$∠AOB=3∠COD \qquad \therefore \widehat{AB}=3\widehat{CD}$$

④ (△OAB의 넓이)<3×(△OCD의 넓이)

⑤ 부채꼴의 넓이는 중심각의 크기에 정비례하므로

$$∠AOB=3∠COD$$

$$\therefore (부채꼴 AOB의 넓이)=3×(부채꼴 COD의 넓이)$$

05 $\overline{OB}=\overline{OC}=6$ cm

$\widehat{AB}=\widehat{AC}$이면 현의 길이가 같으므로

$\overline{AB}=\overline{AC}=10$ cm

$\therefore$ (색칠한 도형의 둘레의 길이)=10+6+6+10

$$=32 \text{ (cm)}$$

06

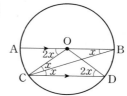

∠ABC=∠x라고 하면

$\overline{AB} \, /\!/ \, \overline{CD}$이므로 ∠ABC=∠BCD=∠$x$

$\overline{OC}$를 그으면

△OBC는 이등변삼각형이므로

∠OCB=∠OBC=∠x

삼각형의 한 외각의 크기는 그와 이웃하지 않는 두 내각의 크기의 합과 같으므로

∠AOC=∠OCB+∠OBC=2∠x

$\overline{OD}$를 그으면

△OCD는 이등변삼각형이므로

∠OCD=∠ODC=2∠x

$\widehat{AC}$: $\widehat{CD}$=1 : 3이므로

∠COD=3∠AOC=3×2∠x=6∠x

△OCD에서

2∠x+2∠x+6∠x=180°

$\therefore$ ∠x=18°

$\therefore$ ∠ABC=18°

07 $\overset{\frown}{AB} : \overset{\frown}{BC} : \overset{\frown}{CA} = 3 : 2 : 4$이므로

$\angle BOC = 360° \times \dfrac{2}{3+2+4} = 80°$

(부채꼴 BOC의 넓이) $= \pi \times r^2 \times \dfrac{80}{360} = 8\pi$

$r^2 = \dfrac{9}{2} \times 8 = 36 = 6^2$

$\therefore r = 6 \, (\text{cm})$

08 $\angle OAD = \angle ODA = (180° - 140°) \times \dfrac{1}{2} = 20°$

$\overline{AD} /\!/ \overline{BC}$이므로

$\angle ADO = \angle DOC = 20°$ (엇각)

$\overset{\frown}{CD} = 2\pi r \times \dfrac{20}{360} = 4\pi$

$\dfrac{1}{18} r = 2$

$\therefore r = 36 \, (\text{cm})$

09 $\overline{AB} = 20 \times \dfrac{2}{2+3} = 8 \, (\text{cm})$,

$\overline{BC} = 20 \times \dfrac{3}{2+3} = 12 \, (\text{cm})$이므로

(색칠한 부분의 둘레의 길이)

$= 2\pi \times 4 \times \dfrac{1}{2} + 2\pi \times 6 \times \dfrac{1}{2} + 2\pi \times 10 \times \dfrac{1}{2}$

$= 20\pi \, (\text{cm})$

(색칠한 부분의 넓이)

$= \pi \times 10^2 \times \dfrac{1}{2} + \pi \times 6^2 \times \dfrac{1}{2} - \pi \times 4^2 \times \dfrac{1}{2}$

$= 60\pi \, (\text{cm}^2)$

$\therefore a + b = 20\pi + 60\pi = 80\pi$

10 (부채꼴의 넓이) $= \dfrac{1}{2} rl$이므로

$\dfrac{1}{2} \times r \times 2\pi = 8\pi$

$r = 8 \, (\text{cm})$

부채꼴의 중심각의 크기를 $x°$라 하면

$\pi \times 8^2 \times \dfrac{x}{360} = 8\pi$

$x = 45$

따라서 구하는 부채꼴의 중심각의 크기는 45°이다.

11
색칠한 부분의 둘레의 길이를 구할 때 직선인 부분이 있는지 확인한다.

(색칠한 부분의 둘레의 길이)

$= 2\pi \times 3 \times \dfrac{180}{360} + 2\pi \times 6 \times \dfrac{30}{360} + 6$

$= 4\pi + 6 \, (\text{cm})$

12 두 대각선 AC와 BD의 교점을 E 라 하고, 점 E를 지나고 $\overline{AB}$와 $\overline{BC}$에 각각 평행한 $\overline{FG}$, $\overline{HI}$를 그 으면

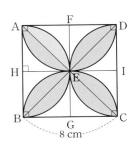

(색칠한 부분의 넓이)

$= \{(\text{부채꼴 AHE의 넓이})$

$\quad - \triangle AHE\} \times 8$

$= \left(\pi \times 4^2 \times \dfrac{90}{360} - 4 \times 4 \times \dfrac{1}{2} \right) \times 8$

$= (4\pi - 8) \times 8 = 32\pi - 64 \, (\text{cm}^2)$

13 그림과 같이 보조선을 그은 후 이 동하면

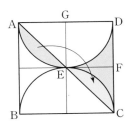

(색칠한 부분의 넓이)

$= \triangle CEF$

$\quad + (\text{정사각형 GEFD의 넓이})$

$\quad - (\text{부채꼴 DGE의 넓이})$

$= 6 \times 6 \times \dfrac{1}{2} + 6 \times 6 - \pi \times 6^2 \times \dfrac{90}{360}$

$= 54 - 9\pi \, (\text{cm}^2)$

14 두 대각선을 그은 후 구하려는 넓 이는 그림과 같이 이동하면

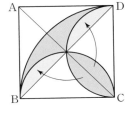

(색칠한 부분의 넓이)

$= (\text{부채꼴 BCD의 넓이})$

$\quad - \triangle BCD$

$= \pi \times 12^2 \times \dfrac{90}{360} - 12 \times 12 \times \dfrac{1}{2}$

$= 36\pi - 72 \, (\text{cm}^2)$

15 $P=Q$이므로

(반원 O의 넓이)$=\triangle ABC$

$\pi \times 4^2 \times \dfrac{180}{360} = 8 \times \overline{BC} \times \dfrac{1}{2}$

$\therefore \overline{BC} = 2\pi \ (\text{cm})$

16 원의 중심 O가 움직인 경로는 다음 그림과 같다.

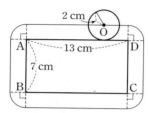

따라서 움직인 거리는

$7 \times 2 + 13 \times 2 + 2\pi \times 2 \times \dfrac{90}{360} \times 4 = 40 + 4\pi \ (\text{cm})$

Level ② 본문 58~61쪽

01 108°   **02** 36   **03** 120°   **04** $(56\pi + 120)$ cm   **05** 3 : 1

06 28°   **07** 156°   **08** $\dfrac{8}{3}\pi$ cm   **09** 24π cm²   **10** 90π

11 $(3\pi - 6)$ cm   **12** $\dfrac{64}{3}\pi$ cm²   **13** $(52\pi - 96)$ cm²

14 9π cm²   **15** 6π cm   **16** 101π m²

01 $\overparen{AB} : \overparen{BC} = 2 : 1$, $\overparen{AB} = 2\overparen{BC}$

$\overparen{BC} : \overparen{CD} = 1 : 3$, $\overparen{CD} = 3\overparen{BC}$

$\overparen{CD} : \overparen{DA} = 3 : 4$, $3\overparen{DA} = 4\overparen{CD}$

$\overparen{DA} = \dfrac{4}{3}\overparen{CD} = \dfrac{4}{3} \times 3\overparen{BC} = 4\overparen{BC}$

$\overparen{AB} : \overparen{BC} : \overparen{CD} : \overparen{DA}$

$= 2\overparen{BC} : \overparen{BC} : 3\overparen{BC} : 4\overparen{BC}$

$= 2 : 1 : 3 : 4$

중심각의 크기는 호의 길이에 정비례하므로

$\angle COD = 360° \times \dfrac{3}{2+1+3+4} = 108°$

02 $\angle A : \angle B : \angle C = 3 : 7 : 8$이므로

$\angle A = 180° \times \dfrac{3}{3+7+8} = 30°$

$\angle B = 180° \times \dfrac{7}{3+7+8} = 70°$

$\angle C = 180° \times \dfrac{8}{3+7+8} = 80°$

사각형 BEOD에서

$\angle DOE = 360° - 90° - 90° - 70° = 180° - 70° = 110°$

같은 방법으로

$\angle EOF = 180° - 80° = 100°$

$\angle FOD = 180° - 30° = 150°$

호의 길이는 중심각의 크기에 정비례하므로

$\overparen{DE} : \overparen{EF} : \overparen{FD} = \angle DOE : \angle EOF : \angle FOD$

$\qquad = 110° : 100° : 150°$

$\qquad = 11 : 10 : 15$

$\therefore a = 11, \ b = 10, \ c = 15$

$\therefore a + b + c = 10 + 11 + 15 = 36$

03 $\overline{OA} = \overline{OB}$, $\overline{AM} = \overline{BM}$, $\overline{OM}$은 공통인 변이므로

$\triangle OAM \equiv \triangle OBM$ (SSS 합동)

$\therefore \angle AOM = \angle BOM$

$\therefore \angle AOC = 180° - \angle AOM = 180° - \angle BOM = \angle BOC$

호의 길이는 중심각의 크기에 정비례하므로

$\overparen{CA} = \overparen{AB}$이면 $\angle AOC = \angle AOB$

$\therefore \angle AOB = \angle AOC = \angle BOC = 360° \times \dfrac{1}{3} = 120°$

04 마주 보는 부채꼴에서 맞꼭지각으로 중심각의 크기가 같으므로 호의 길이가 같다.

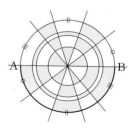

반지름의 길이가 12 cm인 원에서 색칠한 영역의 둘레의 길이는

$2\pi \times 12 \times \dfrac{1}{2} = 12\pi \ (\text{cm})$

반지름의 길이가 9 cm, 8 cm, 5 cm인 원의 둘레의 길이가 색칠한 영역의 둘레의 길이에 포함되므로

$2\pi \times (9+8+5) = 44\pi \ (\text{cm})$

$\therefore$ (색칠한 영역의 둘레의 길이) $= 12\pi + 44\pi + 5\overline{AB}$

$\qquad\qquad\qquad\qquad = 56\pi + 120 \ (\text{cm})$

05 오른쪽 그림과 같이 △ODP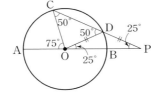
는 $\overline{OD}=\overline{DP}$인 이등변삼각
형이므로

$\angle DOP=\angle BPD=25°$

삼각형의 한 외각의 크기는
그와 이웃하지 않는 두 내각의 크기의 합과 같으므로

$\angle CDO=25°+25°=50°$

같은 방법으로
$\overline{OC}=\overline{OD}$이므로 $\angle OCD=\angle ODC=50°$

$\angle AOC=\angle CPO+\angle PCO=25°+50°=75°$

호의 길이는 중심각의 크기에 정비례하므로

$\widehat{AC}:\widehat{BD}=\angle AOC:\angle BOD$
$=75°:25°=3:1$

06 오른쪽 그림과 같이 직선 AO를 그으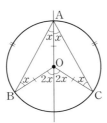
면 △ABO, △ACO는
$\overline{OA}=\overline{OB}=\overline{OC}$인 이등변삼각형이고
$\widehat{AB}=\widehat{AC}$이면 $\angle AOB=\angle AOC$이
므로

△OAB≡△OAC (SAS 합동)

$\therefore \angle ABO=\angle BAO=\angle ACO=\angle CAO=\angle x$

삼각형의 한 외각의 크기는 그와 이웃하지 않는 두 내각의 크기
의 합과 같으므로

$2\angle x+2\angle x=4\angle x=112°$, $\angle x=28°$

$\therefore \angle ABO=28°$

07

실수하기 쉬운 부분 짚어보기

삼각형의 한 외각의 크기를 나타낼 때 변의 연장선 위에 있는 각인지 확
인한다.

오른쪽 그림에서 $\angle ACO=\angle x$라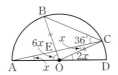
하면
$\overline{OA}=\overline{OC}$이므로

$\angle ACO=\angle CAO=\angle x$

삼각형의 한 외각의 크기는 그와 이웃하지 않는 두 내각의 크기
의 합과 같으므로

$\angle COD=2\angle x$

중심각의 크기는 호의 길이에 정비례하므로

$\angle AOB:\angle COD=\widehat{AB}:\widehat{CD}=3:1$

$\angle AOB:2\angle x=3:1$

$\therefore \angle AOB=6\angle x$

$\therefore \angle BOC=180°-6\angle x-2\angle x=180°-8\angle x$

$\overline{OB}=\overline{OC}$이므로

$\angle OCB=\{180°-(180°-8\angle x)\}\times\dfrac{1}{2}$
$=4\angle x$
$=\angle x+36°$

$3\angle x=36°$ $\therefore \angle x=12°$

$\therefore \angle AOC=180°-2\angle x$
$=180°-2\times12°=156°$

08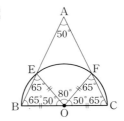

△ABC는 $\overline{AB}=\overline{AC}$인 이등변삼각형이므로

$\angle ABC=\angle ACB=(180°-50°)\times\dfrac{1}{2}=65°$

$\overline{OE}$, $\overline{OF}$를 그으면 △OEB, △OCF는 이등변삼각형이므로

$\angle OEB=\angle OFC=65°$

$\therefore \angle BOE=\angle COF=180°-65°-65°=50°$

$\angle EOF=180°-50°-50°=80°$

$\therefore \widehat{EF}=2\pi\times6\times\dfrac{80}{360}=\dfrac{8}{3}\pi$ (cm)

09 $\overline{OD}=\overline{AD}\times\dfrac{1}{2}=20\times\dfrac{1}{2}=10$ (cm)

$\overline{BO}:\overline{OD}=3:5=\overline{BO}:10$

$\therefore \overline{BO}=6$ (cm)

$\overline{BD}=\overline{BO}+\overline{OD}=6+10=16$ (cm)

점 C는 $\overline{BD}$의 중점이므로

$\overline{BC}=16\times\dfrac{1}{2}=8$ (cm)

$\therefore$ (색칠한 부분의 넓이)$=\pi\times8^2\times\dfrac{1}{2}-\pi\times4^2\times\dfrac{1}{2}$
$=32\pi-8\pi$
$=24\pi$ (cm²)

10 $\overline{AB}=\overline{BC}=\overline{CD}=18\times\dfrac{1}{3}=6$ (cm)

(색칠한 부분의 둘레의 길이)
$=2\pi\times9+2\pi\times6+2\pi\times3=2\pi\times(9+6+3)$
$=36\pi$ (cm)

(색칠한 부분의 넓이)$=\pi\times 9^2-\pi\times 6^2+\pi\times 3^2$
$$=\pi\times(9^2-6^2+3^2)$$
$$=54\pi\ (\text{cm}^2)$$
$$\therefore a+b=36\pi+54\pi=90\pi$$

11 $\overline{BC}=x$ cm라 하면

(색칠한 부분의 넓이)

=(직사각형 ABCD의 넓이)+(부채꼴 DCE의 넓이)
　－△ABE

=(직사각형 ABCD의 넓이)

이므로

$$6\times x+\pi\times 6^2\times\frac{90}{360}-(x+6)\times 6\times\frac{1}{2}=6\times x$$

$$6x+9\pi-3x-18=6x,\ 3x=9\pi-18$$

$$\therefore x=3\pi-6$$

12 $\overline{AO}=\overline{OO'}=\overline{O'B}$이므로
반지름의 길이는

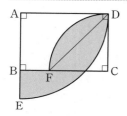

$$24\times\frac{1}{3}=8\ (\text{cm})$$

$\overline{OO'}=\overline{OC}=\overline{O'C}$이므로

△COO'은 정삼각형이다.

따라서 ∠COO'=60°이고

∠AOC=∠BO'C=120°이다.

$\overline{OA}=\overline{O'B}$, $\overline{OC}=\overline{O'C}$이므로

△AOC≡△BO'C (SAS 합동)

따라서 색칠한 부분의 넓이는 부채꼴 BO'C의 넓이와 같으므로

$$\pi\times 8^2\times\frac{120}{360}=\frac{64}{3}\pi\ (\text{cm}^2)$$

13
삼각형, 사각형, 부채꼴 등 넓이를 구할 수 있는 도형이 되도록 보조선을 긋는다.

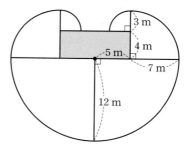

$\overline{DF}$를 그으면

(색칠한 부분의 넓이)

=(부채꼴 DAE의 넓이)－(사다리꼴 ABFD의 넓이)
　＋(부채꼴 DCF의 넓이)－△CDF

$$=\pi\times 12^2\times\frac{90}{360}-\{12+(12-8)\}\times 8\times\frac{1}{2}$$
$$\ \ +\pi\times 8^2\times\frac{90}{360}-8\times 8\times\frac{1}{2}$$
$$=52\pi-96\ (\text{cm}^2)$$

14

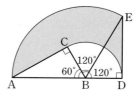

(색칠한 부분의 넓이)

=(부채꼴 ABE의 넓이)＋△EBD
　－△ABC－(부채꼴 CBD의 넓이)

=(부채꼴 ABE의 넓이)－(부채꼴 CBD의 넓이)

$$=\pi\times 6^2\times\frac{120}{360}-\pi\times 3^2\times\frac{120}{360}$$
$$=12\pi-3\pi=9\pi\ (\text{cm}^2)$$

15 원의 중심 O가 움직인 경로는 그림과 같다.

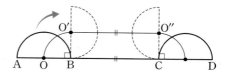

$\overline{O'O''}=\overline{BC}$이고 $\overset{\frown}{AB}$와 같으므로 움직인 거리는

$$2\pi\times 3\times\frac{90}{360}\times 2+2\pi\times 3\times\frac{180}{360}=6\pi\ (\text{cm})$$

16 염소가 움직일 수 있는 영역은 다음 그림과 같다.

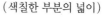

왼쪽과 오른쪽 영역의 넓이가 같으므로

$$\left(\pi\times 12^2\times\frac{90}{360}+\pi\times 7^2\times\frac{90}{360}+\pi\times 3^2\times\frac{90}{360}\right)\times 2$$
$$=101\pi\ (\text{m}^2)$$

01 5 : 3   **02** 20 cm²   **03** 80°   **04** $\dfrac{16}{3}\pi$ cm

05 $(36\pi-72)$ cm²   **06** $\dfrac{3}{2}\pi$ cm²   **07** $\dfrac{25}{2}\pi$ cm

08 방법 A, 2 cm

---

01 📋 **실수하기 쉬운 부분 짚어보기**

$\overline{DP}$와 $\overline{BP}$의 길이를 알 수 없으므로 △OBP와 △ODP가 합동인지 알 수 없다.

$\overline{OA}=\overline{OC}$, $\overline{OB}=\overline{OD}$, $\overline{AB}=\overline{CD}$이므로

△OAB≡△OCD (SSS 합동)

△OAB와 △OCD는 이등변삼각형이므로

∠OAB=∠OBA=∠OCD=∠ODC=48°

∠AOB=∠COD=180°−48°−48°=84°

∠OBP=∠ODP=180°−48°=132°

사각형 ODPB에서

∠BOD=360°−132°−132°−24°=72°

∠AOC=360°−84°−84°−72°=120°

호의 길이는 중심각의 크기에 정비례하므로

$\overset{\frown}{AC}$: $\overset{\frown}{BD}$=120° : 72°=5 : 3

02 반지름이므로 $\overline{OA}=\overline{OB}$

$\overline{OA}=\overline{OB}=\overline{AB}$이므로 △OAB는 정삼각형이다.

∠AOB=60°

$\overline{OA}=\overline{OB}$, $\overline{AM}=\overline{BM}$, $\overline{OM}$은 공통인 변이므로

△OAM≡△OBM (SSS 합동)

∴ ∠AOM=∠BOM=60°×$\dfrac{1}{2}$=30°

∠AOD=180°−30°=150°

중심각의 크기는 호의 길이에 정비례하므로

∠AOE : ∠DOE=$\overset{\frown}{AE}$: $\overset{\frown}{ED}$=2 : 1

∠AOE=150°×$\dfrac{2}{2+1}$=100°

부채꼴의 넓이는 중심각의 크기에 정비례하므로

(부채꼴 AOE의 넓이) : (부채꼴 AOC의 넓이)

= ∠AOE : ∠AOC

(부채꼴 AOE의 넓이) : 6=100° : 30°

∴ (부채꼴 AOE의 넓이)=6×$\dfrac{100°}{30°}$=20 (cm²)

03

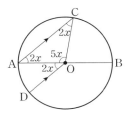

부채꼴의 넓이는 중심각의 크기에 정비례하므로

∠COA : ∠AOD

=(부채꼴 AOC의 넓이) : (부채꼴 AOD의 넓이)

=20 : 8=5 : 2

∠COA=5∠x, ∠AOD=2∠x라고 하면

$\overline{AC}$∥$\overline{DO}$이므로 ∠CAO=∠AOD=2∠x (엇각)

$\overline{OA}=\overline{OC}$이므로 ∠ACO=∠CAO=2∠x

△OAC에서 ∠CAO+∠ACO+∠AOC=180°

2∠x+2∠x+5∠x=180°

9∠x=180°

∠x=20°

∴ ∠BOC=180°−5×20°=80°

04

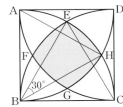

위의 그림과 같이 두 호의 교점을 각각 E, F, G, H라고 하면

$\overline{BC}=\overline{BE}=\overline{CE}$이므로 △EBC는 정삼각형이다.

∴ ∠EBC=60°

같은 방법으로 ∠ABH=60°이므로

∠EBH=30°

같은 방법으로 ∠FCE=∠FDG=∠GAH=30°

따라서 색칠한 부분의 둘레의 길이는

$\overset{\frown}{EH}×4=2\pi×8×\dfrac{30}{360}×4=\dfrac{16}{3}\pi$ (cm)

05 오른쪽 그림의 정사각형 ABCD에서 두 대각선의 교점을 E, 점 E를 지나고 $\overline{AB}$, $\overline{BC}$에 평행한 선분을 각각 $\overline{FG}$, $\overline{HI}$, $\overline{CD}$ 위의 점을 각각 J, K라고 하면

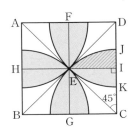

∠ECD=45°이고 정사각형 ABCD는 △CEI와 합동인 삼각형 8개로 나누어진다.

따라서
(색칠한 부분의 넓이)
= {(부채꼴 ECJ의 넓이) − △CEI} × 8
= (부채꼴 ECJ의 넓이) × 8 − (정사각형 ABCD의 넓이)
$= \pi \times 6^2 \times \frac{45}{360} \times 8 - 12 \times 12 \times \frac{1}{2}$
$= 36\pi - 72 \ (\text{cm}^2)$

06 오른쪽 그림의 $\overline{OE}$와 $\overline{DF}$, $\overline{CG}$의 교점을 각각 H, I, $\overline{FO}$와 $\overline{CG}$의 교점을 J라 하면 중심각의 크기는 호의 길이에 정비례하므로

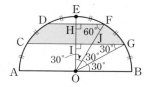

∠EOF = ∠FOG = ∠GOB
$= 180° \times \frac{1}{6} = 30°$

△OHF와 △GIO에서
$\overline{OF} = \overline{GO}$ (반지름)
∠OHF = ∠OIG = 90°이므로
∠OFH = ∠GOI, ∠HOF = ∠IGO
∴ △OHF ≡ △GIO (ASA 합동)
따라서 (사각형 HIJF의 넓이) = △JOG이므로
(도형 HIGF의 넓이) = (부채꼴 FOG의 넓이)
∴ (두 현 DF, CG와 두 호 CD, FG로 둘러싸인 도형의 넓이)
= (부채꼴 FOG의 넓이) × 2
$= \pi \times 3^2 \times \frac{30}{360} \times 2 = \frac{3}{2}\pi \ (\text{cm}^2)$

07 **함정 피하기**
정사각형의 변을 따라 회전하므로 반지름의 길이가 정삼각형의 한 변의 길이와 다를 수 있다.

점 E가 움직인 경로는 다음 그림과 같다.

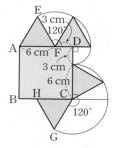

따라서 점 E가 움직인 거리는
$2\pi \times 6 \times \frac{120}{360} + 2\pi \times 3 \times \frac{90}{360} + 2\pi \times 6 \times \frac{210}{360}$
$= 4\pi + \frac{3}{2}\pi + 7\pi = \frac{25}{2}\pi \ (\text{cm})$

08 원의 반지름의 길이는 1 cm이고 각 원의 중심에서 끈에 수선을 내리면 그림과 같다.

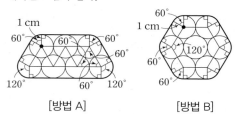

[방법 A]   [방법 B]

[방법 A]
세 원의 중심을 연결하면 정삼각형이 되므로 부채꼴의 중심각의 크기가 그림과 같이 60°, 120°가 된다.
(직선 부분의 길이) = 4 + 6 + 2 + 2 = 14 (cm)
$(\text{곡선 부분의 길이}) = 2\pi \times 1 \times \frac{60}{360} \times 2 + 2\pi \times 1 \times \frac{120}{360} \times 2$
$= 2\pi \times \left(\frac{60}{360} + \frac{120}{360}\right) \times 2$
$= 2\pi \ (\text{cm})$

[방법 A]에서 끈의 길이: $2\pi + 14 \ (\text{cm})$

[방법 B]
6개의 원의 중심을 연결하면 정육각형이 되므로 부채꼴의 중심각의 크기가 그림과 같이 60°가 된다.
(직선 부분의 길이) = 2 × 6 = 12 (cm)
$(\text{곡선 부분의 길이}) = 2\pi \times 1 \times \frac{60}{360} \times 6 = 2\pi \ (\text{cm})$

[방법 B]에서 끈의 길이 : $2\pi + 12 \ (\text{cm})$
따라서 [방법 A]에서 끈의 길이가 2 cm 더 길다.

Level ④   본문 64~65쪽

01 $5n+1$ **02** $5:8$ **03** 9   **04** $(64-18\pi) \ \text{cm}^2$

05 $\frac{3}{2}\pi \ \text{cm}^2$ **06** $32\pi \ \text{cm}$

01 **풀이전략** 나누어지는 영역이 최대가 되려면 교점의 개수가 가장 많이 나오도록 보조선을 긋는다.

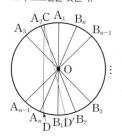

그림과 같이 지름 n개를 그으면 넓이가 같은 부채꼴 $2n$개로 나누어지므로

$x=2n$

이때 $\overline{CD} /\!/ \overline{A_1 B_1}$이고 점 C는 $\widehat{A_1 A_2}$ 위에 있고 점 D는 $\widehat{A_n B_1}$ 위에 있으면 반원에 있는 n개의 영역이 각각 2개로 나누어지므로 원 O는 $n\times 2+n=3n$(개)의 영역으로 나누어진다.

그런데 점 C는 $\widehat{A_1 A_2}$ 위에 있고 점 D'는 $\widehat{B_1 B_2}$ 위에 있으면 원 O는 $n\times 2+1+n=3n+1$(개)의 영역으로 나누어지므로 최대가 된다.

$\therefore y=3n+1$

$\therefore x+y=2n+(3n+1)=5n+1$

---

02 【풀이전략】 평행선의 성질을 이용하여 크기가 같은 각을 찾는다.

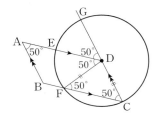

$\overline{CD}$의 연장선과 원 D가 만나는 점을 G라고 하면

$\overline{AB} /\!/ \overline{DC}$이므로 $\angle A=\angle GDE=50°$ (엇각)

$\overline{AD} /\!/ \overline{BC}$이므로 $\angle GDE=\angle DCF=50°$ (동위각)

$\overline{DF}$를 그으면 $\triangle DFC$가 이등변삼각형이므로

$\angle DCF=\angle DFC=50°$

$\overline{AD} /\!/ \overline{BC}$이므로 $\angle EDF=\angle DFC=50°$ (엇각)

$\angle FDC=180°-50°-50°=80°$

호의 길이는 중심각의 크기에 정비례하므로

$\widehat{EF}:\widehat{FC}=\angle EDF:\angle FDC=50°:80°=5:8$

---

03 【풀이전략】 주어진 그림을 이용하여 둘레의 길이를 구하고 그 규칙을 찾는다.

정사각형의 한 변의 길이를 a라고 하면

$l_4=\dfrac{1}{4}\times 2\pi\times(a+2a+3a+4a)+4a$

$l_5=\dfrac{1}{4}\times 2\pi\times(2a+3a+4a+5a)+(5a-a)$

$l_6=\dfrac{1}{4}\times 2\pi\times(3a+4a+5a+6a)+(6a-2a)$

$l_7=\dfrac{1}{4}\times 2\pi\times(4a+5a+6a+7a)+(7a-3a)$

$l_8=\dfrac{1}{4}\times 2\pi\times(5a+6a+7a+8a)+8a$

$l_9=\dfrac{1}{4}\times 2\pi\times(6a+7a+8a+9a)+(9a-a)$

이므로 규칙에 따라

$l_{18}=\dfrac{1}{4}\times 2\pi\times(15a+16a+17a+18a)+(18a-2a)$,

$l_{16}=\dfrac{1}{4}\times 2\pi\times(13a+14a+15a+16a)+16a$

임을 알 수 있다.

즉, $l_{18}-l_{16}=4a\pi=12\pi$에서

$a=3$

$\therefore$ (정사각형 ABCD의 넓이)$=3^2=9$

---

04 【풀이전략】 대각선을 그어 색칠한 부분을 여러 개의 조각으로 나눈다.

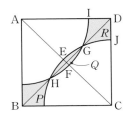

$\overline{AC}$, $\overline{BD}$가 부채꼴과 만나는 점을 각각 E, F, G, H, $\overline{AD}$, $\overline{CD}$가 부채꼴과 만나는 점을 각각 I, J라 하면

$P=R=\triangle ACD-(부채꼴 IAF의 넓이)$
$\qquad\qquad -(부채꼴 JCE의 넓이)+\dfrac{1}{2}Q$

$(부채꼴 IAF의 넓이)=(부채꼴 JCE의 넓이)$

$\therefore P-Q+R$

$=2\times\Big\{\triangle ACD-(부채꼴 IAF의 넓이)$
$\qquad\qquad -(부채꼴 JCE의 넓이)+\dfrac{1}{2}Q\Big\}-Q$

$=2\times\Big(8\times 8\times\dfrac{1}{2}-\pi\times 6^2\times\dfrac{45}{360}\times 2+\dfrac{1}{2}Q\Big)-Q$

$=2\Big(32-9\pi+\dfrac{1}{2}Q\Big)-Q$

$=64-18\pi\ (\text{cm}^2)$

---

05 【풀이전략】 삼각형의 합동을 이용하여 넓이가 같은 도형을 찾는다.

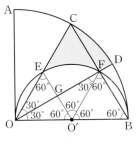

$\widehat{AC}=\widehat{CD}=\widehat{DB}$이므로

$\angle AOC=\angle COD=\angle DOB=30°$

$\overline{BC}$를 그으면 점 F를 지나고 $\overline{OC}=\overline{OB}$이므로

$\angle OCB=\angle OBC=60°$

또, $\overline{O'E}$, $\overline{O'F}$를 그으면 $\angle EOO'=60°$, $\overline{O'O}=\overline{O'E}$이므로

$\angle O'EO=\angle EOO'=60°$

$\therefore \angle EO'O=60°$

따라서 $\triangle EOO'$은 정삼각형이다.

같은 방법으로 $\triangle O'FB$도 정삼각형이다.

$\overline{O'E}$와 $\overline{OD}$의 교점을 G라고 하면 $\triangle OEG$와 $\triangle FO'G$에서

$\overline{OE}=\overline{FO'}$, $\angle OEG=\angle FO'G=60°$,

$\angle EOG=\angle O'FG=30°$이므로

$\triangle OEG \equiv \triangle FO'G$ (ASA 합동)

$\therefore$ (색칠한 부분의 넓이)

$=$(부채꼴 COD의 넓이)$-$(도형 EOF의 넓이)

$=$(부채꼴 COD의 넓이)$-$(부채꼴 EO'F의 넓이)

$=\pi \times 6^2 \times \dfrac{30}{360} - \pi \times 3^2 \times \dfrac{60}{360}$

$=3\pi - \dfrac{3}{2}\pi$

$=\dfrac{3}{2}\pi \ (\text{cm}^2)$

06 풀이전략 점 O가 움직인 경로를 그린 후 여러 조각으로 나누어 길이를 구한다.

점 O가 움직인 경로는 다음 그림과 같다.

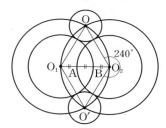

$\overline{O_1A}=\overline{AB}=\overline{BO_2}=12 \times \dfrac{1}{3}=4 \ (\text{cm})$이므로

(두 원 O_1, O_2의 반지름의 길이)$=8$ cm

$\overline{O_1O_2}=\overline{O_1O}=\overline{O_2O}=12$ cm

$\triangle OO_1O_2$, $\triangle O'O_1O_2$는 정삼각형이므로

$\angle OO_2O_1=\angle O'O_2O_1=60°$

$\therefore$ (점 O가 움직인 거리)

$=$(반지름의 길이가 12 cm, 중심각의 크기가 240°인 부채꼴의 호의 길이)$\times 2$

$=2\pi \times 12 \times \dfrac{240}{360} \times 2$

$=32\pi \ (\text{cm})$

대단원 마무리 **Level 종합**   본문 66~67쪽

01 118°   **02** 84°   **03** 40   **04** $360° \times (n-1)$

05 110°   **06** $20-24\pi$ **07** 24 cm²   **08** $(4\pi+8)$ cm²

01 접은 각의 크기는 같으므로

$\angle ADE=\angle A'DE$, $\angle AED=\angle A'ED$

삼각형의 세 내각의 크기의 합은 180°이므로

$\angle A+\angle B+\angle C=180°$, $\angle A+\angle ADE+\angle AED=180°$

$\therefore \angle ADE+\angle AED=\angle B+\angle C$

$\qquad\qquad\qquad =85°+36°=121°$

$\therefore \angle A'DB+\angle A'EC$

$=(180°-2\angle ADE)+(180°-2\angle AED)$

$=360°-2(\angle ADE+\angle AED)$

$=360°-2\times 121°=118°$

02 오각형의 내각의 크기의 합은 $180° \times (5-2)=540°$이므로

$132°+90°+150°+\angle D+\angle E=540°$

$\therefore \angle D+\angle E=168°$

(외각의 크기)$=180°-$(내각의 크기)이므로

$\angle DEF=\dfrac{1}{2}(180°-\angle E)$,

$\angle EDF=\dfrac{1}{2}(180°-\angle D)$

삼각형의 세 내각의 크기의 합은 180°이므로

$\angle DFE=180°-\angle DEF-\angle EDF$

$=180°-\dfrac{1}{2}(180°-\angle E)-\dfrac{1}{2}(180°-\angle D)$

$=\dfrac{1}{2}(\angle D+\angle E)$

$=\dfrac{1}{2} \times 168°=84°$

03

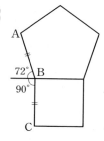

정오각형의 한 외각의 크기는 $\dfrac{360°}{5}=72°$,

정사각형의 한 외각의 크기는 $\dfrac{360°}{4}=90°$이므로

정n각형의 한 내각의 크기는 $\angle\text{ABC}=72°+90°=162°$이고

정n각형의 한 외각의 크기는 $180°-162°=\dfrac{360°}{n}$이다.

$\therefore n=\dfrac{360°}{18°}=20$

정이십각형의 변의 개수는 20개이므로 합동인 정오각형 10개,
정사각형 10개가 필요하다.

$\therefore a=10,\ b=10$

$\therefore a+b+n=10+10+20=40$

$\therefore \angle\text{AOB}=180°-75°-75°$
$\qquad\qquad=30°$

현의 길이가 같으면 중심각의 크기가 같으므로

$\angle\text{BOC}=\angle\text{COD}=\angle\text{GOA}$,

$\angle\text{DOE}=\angle\text{EOF}=\angle\text{FOG}$

$30°+\angle\text{BOC}+\angle\text{COD}+\angle\text{GOA}+\angle\text{DOE}+\angle\text{EOF}$
$+\angle\text{FOG}=360°$

$30°+3\angle\text{COD}+3\angle\text{DOE}=360°$

$\therefore \angle\text{COE}=\angle\text{COD}+\angle\text{DOE}=110°$

04

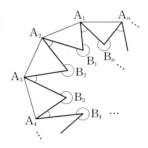

$\overline{\text{A}_i\text{A}_{i+1}}$, $\overline{\text{A}_n\text{A}_1}$을 그으면 n각형이 되고,

$\triangle\text{A}_1\text{B}_1\text{A}_2$에서

$\angle\text{A}_1\text{A}_2\text{B}_1+\angle\text{A}_2\text{A}_1\text{B}_1=180°-\angle\text{A}_1\text{B}_1\text{A}_2$이고,

$\angle\text{B}_1=360°-\angle\text{A}_1\text{B}_1\text{A}_2$이므로

$\angle\text{B}_1=180°+\angle\text{A}_1\text{A}_2\text{B}_1+\angle\text{A}_2\text{A}_1\text{B}_1$

즉, $\angle\text{B}_i=180°+\angle\text{A}_i\text{A}_{i+1}\text{B}_i+\angle\text{A}_{i+1}\text{A}_i\text{B}_i$이므로

(별 모양의 다각형의 내각의 크기의 합)

$=(n$각형의 내각의 크기의 합$)+180°\times n$

$=180°\times(n-2)+180°\times n$

$=360°\times(n-1)$

06 $\angle\text{BCD}=180°-\dfrac{360°}{5}=108°$이므로

(색칠한 부분의 둘레의 길이)$=10+10+2\pi\times10\times\dfrac{108}{360}$
$\qquad\qquad\qquad\qquad\qquad\quad=20+6\pi\ (\text{cm})$

(색칠한 부분의 넓이)$=\pi\times10^2\times\dfrac{108}{360}=30\pi\ (\text{cm}^2)$

$\therefore a-b=(20+6\pi)-30\pi$
$\qquad\quad=20-24\pi$

07 (색칠한 부분 P, Q의 넓이의 합)

$=$(지름이 $\overline{\text{AB}}$인 반원의 넓이)$+$(지름이 $\overline{\text{AC}}$인 반원의 넓이)
$\quad+\triangle\text{ABC}-$(지름이 $\overline{\text{BC}}$인 반원의 넓이)

$=\pi\times3^2\times\dfrac{1}{2}+\pi\times4^2\times\dfrac{1}{2}+6\times8\times\dfrac{1}{2}-\pi\times5^2\times\dfrac{1}{2}$

$=24\ (\text{cm}^2)$

05 **함정 피하기**

현의 길이가 같으면 중심각의 크기가 같지만 중심각의 크기가 현의 길이에 정비례하지는 않으므로 현의 길이가 같은 부채꼴로 나누어 생각한다.

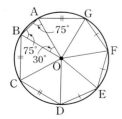

각 꼭짓점과 점 O를 이으면

$\overline{\text{OA}}=\overline{\text{OB}}$이므로 $\angle\text{OAB}=\angle\text{OBA}=75°$

08

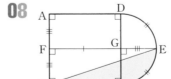

$\overline{\text{AB}}$, $\overline{\text{CD}}$의 중점을 각각 F, G라고 하면

(색칠한 부분의 넓이)

$=$(직사각형 FBCG의 넓이)$+$(부채꼴 CGE의 넓이)
$\quad-\triangle\text{FBE}$

$=4\times8+\pi\times4^2\times\dfrac{90}{360}-12\times4\times\dfrac{1}{2}$

$=4\pi+8\ (\text{cm}^2)$

VII. 입체도형

5 다면체와 회전체

01 ②   02 ②   03 ①   04 ④   05 ④   06 ④

07 정육각뿔대   08 ③   09 ②   10 ③   11 ③

12 ①   13 ①   14 ③   15 ②

16 구의 중심을 지나는 평면으로 자른다. (회전축을 포함하는 평면으로 자른다.)

---

01   ① 7개   ② 8개   ③ 6개   ④ 7개   ⑤ 5개

02   모서리가 15개인 각뿔대는 오각뿔대이다.
오각뿔대의 면의 개수는 7개이다.

03   **실수하기 쉬운 부분 짚어보기**
각뿔대의 옆면은 모두 사다리꼴이지만, 밑면의 모양에 따라 합동이 아닌 경우도 있다.

04   면이 8개인 각뿔대는 육각뿔대이다.
육각뿔대의 꼭짓점의 개수는 12개이다.

05   각 꼭짓점에 모인 면의 개수가 5개인 정다면체는 정이십면체이다.

06   정이십면체의 모서리의 개수는 30개이므로 모서리가 30개인 각뿔대는 십각뿔대이다.
십각뿔대의 꼭짓점의 개수는 20개이다.

07   옆면이 모두 합동인 사다리꼴이며 밑면의 모양이 정육각형인 입체도형은 정육각뿔대이다.

08   사각뿔의 면의 개수는 5개, 사각뿔대의 면의 개수는 6개이다.

09   ① 8개   ② 10개   ③ 2개   ④ 9개   ⑤ 8개

10   정육각뿔대와 정육면체는 회전체가 아닌 다면체이다.

11   주어진 사다리꼴을 직선 l을 축으로 하여 1회전시키면 원뿔대가 생긴다.

12   원뿔을 회전축을 포함하는 단면으로 자르면 이등변삼각형이 생긴다.

13   반구, 원기둥, 원뿔대, 원뿔은 회전축에 수직인 평면으로 자르면 모두 원이다.

15   **함정 피하기**
원뿔대, 정삼각뿔은 밑면에 평행한 평면으로 자를 때 높이에 따라 단면의 크기가 달라진다.

01 ②   02 ⑤   03 16   04 정십이면체   05 ②   06 ④

07 ④   08 ③   09 ④   10 풀이 참조   11 ①   12 ②

13 ②   14 ④   15 ①   16 ③, ⑤

---

01   ① 삼각기둥의 옆면은 직사각형이다.
③ 삼각뿔대의 옆면은 사다리꼴이다.
④ 사각뿔의 밑면은 사각형이다.
⑤ 사각뿔대의 밑면과 옆면은 모두 사각형이다.

02   각 꼭짓점에 모인 면의 개수가 4개인 정다면체는 정팔면체이다.
① 정팔면체는 다면체이다.
② 정팔면체의 모든 면은 정삼각형이다.
③ 정팔면체의 면의 개수는 8개이다.
④ 정팔면체의 꼭짓점의 개수는 6개이다.

03   주어진 입체도형의 면의 개수는 9개, 모서리의 개수는 16개, 꼭짓점의 개수는 9개이다.
따라서 $x=9$, $y=16$, $z=9$이므로
$x+y-z=9+16-9=16$

04 각 면이 모두 합동인 정다각형이고 각 꼭짓점에 모인 면의 개수가 같은 다면체는 정다면체이다. 모든 면이 정오각형인 정다면체는 정십이면체이다.

05 실수하기 쉬운 부분 짚어보기
이름이 비슷한 도형은 그려 보면 헷갈리지 않아요. 정사각뿔은 밑면의 모양이 정사각형인 뿔이에요.

① 정사각뿔의 밑면은 정사각형이다.
③ 정사각뿔의 면의 개수는 5개, 정사면체의 면의 개수는 4개이다.
④ 정사각뿔의 모서리의 개수는 8개, 정사면체의 모서리의 개수는 6개이다.
⑤ 정사각뿔의 옆면은 정삼각형이 아닐 수도 있다.

06 ㄱ. 오각뿔은 오각형과 삼각형으로만 이루어져 있다.
ㄷ. 정사면체는 삼각형으로만 이루어져 있다.

07 주어진 전개도는 삼각뿔대의 전개도이다.
① 삼각뿔대의 밑면은 삼각형이다.
② 삼각뿔대의 옆면은 사다리꼴이다.
③ 두 밑면은 서로 평행이지만 합동은 아니다.
⑤ 삼각뿔대의 꼭짓점의 개수는 6개이다.

08 주어진 전개도는 정이십면체의 전개도이다.
① 정이십면체의 면의 개수는 20개이다.
② 한 꼭짓점에 모이는 면의 개수는 5개이다.
④ 정이십면체의 꼭짓점의 개수는 12개이다.
⑤ 정이십면체는 회전체가 아닌 다면체이다.

09 회전축에 수직인 평면으로 자른 단면은 모두 원 모양이다. 단면의 넓이가 최대가 되려면 원의 반지름의 길이가 5 cm일 때이다.
따라서 구하는 최대 넓이는 $\pi \times 5^2 = 25\pi$ (cm^2)

10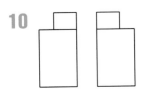

11
회전축을 기준으로 선대칭도형이므로 회전체의 밑면의 반지름의 길이는 3 cm이다.

12 주어진 전개도는 원뿔대의 전개도이다.
② 선분 AB는 모선이 된다.

14 주사위는 정육면체로 회전체가 아닌 다면체이다.

15 ③ 회전축을 포함하는 평면으로 자른 단면은 가로의 길이가 10 cm, 세로의 길이가 5 cm인 직사각형이므로 넓이는 50 cm^{2}이다.

16 ③ 원뿔을 밑면에 평행한 평면으로 자르면 원뿔과 원뿔대가 각각 1개씩 생긴다.

Level 3
본문 78~79쪽

01 ⑤   **02** ㄱ, ㄴ, ㄷ, ㄹ, ㅁ   **03** (1) 모든 면이 합동이 아니므로 정다면체가 아니다. (2) 각 꼭짓점에 모이는 면의 개수가 다르므로 정다면체가 아니다.

04 정육각형의 한 내각의 크기는 120°이므로 한 꼭짓점에 3개의 면이 모이면 360°가 되어 입체도형을 만들 수 없다.   **05** 7 cm

06 ④   **07** ②

---

01 n각뿔대의 면의 개수는 $(n+2)$개, 모서리의 개수는 $3n$개이므로 $(n+2)+3n=42$
$4n=40$ ∴ $n=10$
따라서 십각뿔대의 꼭짓점의 개수는 20개이다.

02

04 정육각형의 한 내각의 크기는 120°이므로 한 꼭짓점에 3개의 면이 모이면 360°가 되어 입체도형을 만들 수 없다.

05 전개도에 나타내면 다음과 같다.

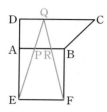

네 점 A, B, E, F를 $\overline{CD}$에 대칭시킨 점을 각각 A′, B′, E′, F′이라고 하면 다음과 같다.

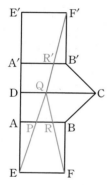

점 R를 $\overline{CD}$에 대칭시킨 점을 R′이라고 하면
$\overline{EP}+\overline{PQ}+\overline{QR}+\overline{RF}=\overline{EP}+\overline{PQ}+\overline{QR'}+\overline{R'F'}$이고
$\overline{EP}+\overline{PQ}+\overline{QR'}+\overline{R'F'}$의 길이가 가장 짧을 때는 $\overline{EF'}$의 길이와 같을 때이다.

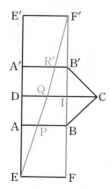

$\overline{FF'}$과 $\overline{CD}$의 교점을 I라고 하면
삼각형 DQE와 삼각형 IQF′에서
$\angle QDE=\angle QIF'=90°$, $\overline{DE}=\overline{IF}=\overline{IF'}$,
$\angle DEQ=\angle IF'Q$ (엇각)
이므로 $\triangle DQE\equiv\triangle IQF'$ (ASA 합동)
따라서 $\overline{DQ}=\overline{IQ}=\dfrac{1}{2}\times\overline{EF}=3$ (cm)이므로
$\overline{CQ}=\overline{CD}-\overline{DQ}=10-3=7$ (cm)

06

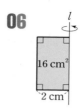

직사각형의 가로의 길이가 2 cm, 넓이가 16 cm²이므로 세로의 길이는 8 cm이다.
따라서 입체도형의 높이는 직사각형의 세로의 길이와 같으므로 8 cm이다.

07 함정 피하기
같은 평면도형이라도 회전축의 위치를 다르게 하여 회전시키면 서로 다른 회전체가 된다.

Level 4
본문 80~81쪽

01 ④ **02** ④ **03** 74 **04** ① **05** ③ **06** ⑤

01 ④ 오각형의 변의 개수는 5개이다.

02 ④ 3
정육면체의 각 면의 대각선을 연결하면 정사면체를 만들 수 있다.

03 풀이전략 면, 모서리, 꼭짓점의 개수를 직접 세어도 되지만 정육면체를 기준으로 새로 추가된 개수만큼 더하거나 삭제된 개수만큼 빼는 방법도 있어요.
깎은 정육면체의 면의 개수는 정육면체의 면의 개수인 6개와 새로 추가된 면의 개수인 8개의 합인 14개이다.
깎은 정육면체의 모서리의 개수는 정육면체의 모서리의 개수인 12개와 새로 추가된 모서리의 개수인 24개의 합인 36개이다.
깎은 정육면체의 꼭짓점의 개수는 정육면체의 꼭짓점인 8개가 모두 삭제되었고 새로 추가된 꼭짓점의 개수는 24개이다.
따라서 $a=14$, $b=36$, $c=24$이므로 $a+b+c=74$

04 첫 번째 그림에서 정육면체의 각 면의 한 가운데 점은 정팔면체의 꼭짓점이 된다.
두 번째 그림에서 정팔면체의 각 면의 한 가운데 점은 정육면체의 꼭짓점이 된다.

06

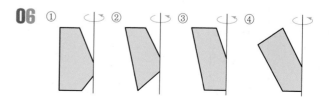

6 입체도형의 겉넓이

본문 84~87쪽

01 ③	02 ⑤	03 ③	04 ①	05 ②	06 ⑤	07 ②
08 ③	09 ③	10 ①	11 ③	12 ②	13 ③	14 ②
15 ④	16 ②					

01 원뿔 부분과 원기둥 부분으로 나누어 겉넓이를 각각 구하여 더한다. 이때 겹치는 부분은 더하지 않는다.

(원뿔의 옆넓이) $= \frac{1}{2} \times 8\pi \times 5 = 20\pi$ (cm^2)

(원기둥의 밑넓이) $= 16\pi$ (cm^2)

(원기둥의 옆넓이) $= 8\pi \times 4 = 32\pi$ (cm^2)

따라서 구하는 겉넓이는

$20\pi + 16\pi + 32\pi = 68\pi$ (cm^2)

02 주어진 도형을 1회전 시킬 때 만들어지는 입체도형은 밑면의 반지름의 길이가 3 cm이고 높이가 5 cm인 원기둥이다.

(원기둥의 밑넓이) $= 9\pi$ (cm^2)

(원기둥의 옆넓이) $= 6\pi \times 5 = 30\pi$ (cm^2)

따라서 구하는 겉넓이는

$9\pi \times 2 + 30\pi = 48\pi$ (cm^2)

03 주어진 도형을 1회전 시킬 때 만들어지는 입체도형은 밑면의 반지름의 길이가 4 cm이고 모선의 길이가 5 cm인 원뿔이다.

(원뿔의 밑넓이) $= 16\pi$ (cm^2)

(원뿔의 옆넓이) $= \frac{1}{2} \times 8\pi \times 5 = 20\pi$ (cm^2)

따라서 구하는 겉넓이는

$16\pi + 20\pi = 36\pi$ (cm^2)

04 주어진 도형을 1회전 시킬 때 만들어지는 입체도형은 반구와 원기둥을 꼭맞게 붙여 놓은 것과 같다.

(반구의 겉넓이) $= 4\pi \times 5^2 \times \frac{1}{2} = 50\pi$ (cm^2)

(원기둥의 밑넓이) $= 25\pi$ (cm^2)

(원기둥의 옆넓이) $= 10\pi \times 4 = 40\pi$ (cm^2)

따라서 구하는 겉넓이는

$50\pi + 25\pi + 40\pi = 115\pi$ (cm^2)

05 직육면체의 밑넓이는 15 cm^{2}이고, 옆넓이는

(밑면의 둘레의 길이) $\times$ (높이)이다.

따라서 직육면체의 높이를 x cm라고 하면

$30 + 16x = 126$이므로

$x = 6$

따라서 직육면체의 높이는 6 cm이다.

06 주어진 전개도로 만든 입체도형은 삼각기둥이다.

(삼각기둥의 밑넓이) $= \frac{1}{2} \times 3 \times 4 = 6$ (cm^2)

(삼각기둥의 옆넓이) $= 12 \times 4 = 48$ (cm^2)

따라서 구하는 겉넓이는

$6 \times 2 + 48 = 60$ (cm^2)

07 구의 반지름의 길이를 r cm라고 하면 구의 겉넓이는 $4\pi r^2$ cm^{2}이므로 $4\pi r^2 = 100\pi$에서 $r^2 = 25$

$\therefore r = 5$

따라서 구의 반지름의 길이는 5 cm이다.

08 정사각뿔대의 두 밑면은 각각 한 변의 길이가 3 cm, 7 cm인 정사각형이다.

(정사각뿔대의 밑넓이) $= 9 + 49 = 58$ (cm^2)

(정사각뿔대의 옆넓이) $= \frac{1}{2} \times (3+7) \times 4 \times 4 = 80$ (cm^2)

따라서 구하는 정사각뿔대의 겉넓이는

$58 + 80 = 138$ (cm^2)

09 밑면의 반지름의 길이가 5 cm이고 모선의 길이가 6 cm인 원뿔의 겉넓이를 구하면 된다.

(원뿔의 밑넓이) $= 25\pi$ (cm^2)

(원뿔의 옆넓이) $= \frac{1}{2} \times 10\pi \times 6 = 30\pi$ (cm^2)

따라서 구하는 원뿔의 겉넓이는

$25\pi + 30\pi = 55\pi$ (cm^2)

10 부채꼴의 호의 길이는 $2\pi \times 5 \times \frac{216}{360} = 6\pi$ (cm)이고, 밑면인 원의 둘레의 길이와 옆면인 부채꼴의 호의 길이가 같으므로 밑면의 반지름의 길이는 3 cm이다.

주어진 전개도로 만들어지는 입체도형은 원뿔이므로

(원뿔의 밑넓이) $= 9\pi$ (cm^2)

(원뿔의 옆넓이) $= \frac{1}{2} \times 6\pi \times 5 = 15\pi$ (cm^2)

따라서 구하는 원뿔의 겉넓이는

$9\pi + 15\pi = 24\pi \ (\mathrm{cm}^2)$

11 반지름의 길이가 5 cm인 반구의 겉넓이는

$4\pi \times 5^2 \times \dfrac{1}{2} + 25\pi = 75\pi \ (\mathrm{cm}^2)$

12

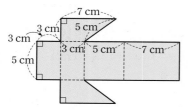

구하는 겉넓이는 전개도에서 사각형 6개의 넓이를 모두 더하면
된다.

$\therefore 5 \times (3+3+5+7) + \dfrac{1}{2} \times (3+7) \times 3 \times 2 = 120 \ (\mathrm{cm}^2)$

13 원뿔 부분과 원기둥 부분, 반구 부분으로 나누어 겉넓이를 각각
구하여 더한다. 이때 겹치는 부분은 더하지 않는다.

(원뿔의 옆넓이)$= \dfrac{1}{2} \times 6\pi \times 4 = 12\pi \ (\mathrm{cm}^2)$

(원기둥의 옆넓이)$= 6\pi \times 5 = 30\pi \ (\mathrm{cm}^2)$

(반구 부분의 겉넓이)$= \dfrac{1}{2} \times 4\pi \times 9 = 18\pi \ (\mathrm{cm}^2)$

따라서 구하는 겉넓이는

$12\pi + 30\pi + 18\pi = 60\pi \ (\mathrm{cm}^2)$

14 밑면이 반원인 반원기둥의 겉넓이는 밑넓이 두 개와 옆넓이를
더하면 된다.

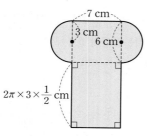

(반원기둥의 밑넓이)$= \dfrac{1}{2} \times 9\pi = \dfrac{9}{2}\pi \ (\mathrm{cm}^2)$

(반원기둥의 옆넓이)$= (3\pi + 6) \times 7 = 21\pi + 42 \ (\mathrm{cm}^2)$

따라서 반원기둥의 겉넓이는

$\dfrac{9}{2}\pi \times 2 + (21\pi + 42) = 30\pi + 42 \ (\mathrm{cm}^2)$

15 정육면체의 겉넓이에서 원기둥의 밑넓이는 빼고 원기둥의 옆넓
이는 더한다.

(정육면체의 겉넓이)$= 54 \ (\mathrm{cm}^2)$

(원기둥의 밑넓이)$= \pi \ \mathrm{cm}^2$

(원기둥의 옆넓이)$= 2\pi \times 3 = 6\pi \ (\mathrm{cm}^2)$

따라서 구하는 입체도형의 겉넓이는

$54 - 2\pi + 6\pi = 54 + 4\pi \ (\mathrm{cm}^2)$

16 원뿔의 모선의 길이를 x cm라고 하면

(원뿔의 밑넓이)$= 9\pi \ (\mathrm{cm}^2)$

(원뿔의 옆넓이)$= \dfrac{1}{2} \times 6\pi \times x = 3\pi x \ (\mathrm{cm}^2)$

이때 원뿔의 겉넓이가 $21\pi \ \mathrm{cm}^2$이므로

$9\pi + 3\pi x = 21\pi, \ x = 4$

따라서 원뿔의 모선의 길이는 4 cm이다.

Level ② 본문 88~89쪽

01 ① **02** ④ **03** ⑤ **04** 102 cm² **05** ⑤

06 ① **07** ② **08** ③

01

(큰 직육면체의 겉넓이)$= (30+15+18) \times 2 = 126 \ (\mathrm{cm}^2)$

(작은 직육면체의 옆넓이)$= 8 \ \mathrm{cm}^2$

따라서 주어진 입체도형의 겉넓이는

$126 + 8 = 134 \ (\mathrm{cm}^2)$

02

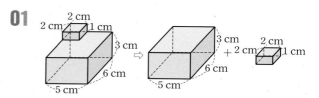

(큰 원기둥의 겉넓이)$= 16\pi \times 2 + 8\pi \times 6 = 80\pi \ (\mathrm{cm}^2)$

(작은 원기둥의 옆넓이)$= 2\pi \times 3 = 6\pi \ (\mathrm{cm}^2)$

따라서 주어진 입체도형의 겉넓이는

$80\pi + 6\pi = 86\pi \ (\mathrm{cm}^2)$

03 (사각뿔의 밑넓이)$=144$ cm^{2}이고

(사각뿔의 옆넓이)$=\dfrac{1}{2}\times12\times10\times4=240$ (cm^2)

(사각뿔의 겉넓이)$=144+240=384$ (cm^2)

이때 사각뿔의 겉넓이와 같은 정육면체의 한 면의 넓이는

$384\div6=64$ (cm^2)이다.

따라서 정육면체의 한 모서리의 길이는 8 cm이다.

04 (육각기둥의 옆넓이)$=$(밑면의 둘레의 길이)$\times$(높이)

$\qquad\qquad\qquad\qquad=24\times3=72$ (cm^2)

따라서 육각기둥의 겉넓이는

$15\times2+72=102$ (cm^2)

05 주어진 직사각형을 옆면으로 가지는 입체도형은 원기둥이다.

이때 직사각형의 가로의 길이가 밑면인 원의 둘레의 길이이므로 밑면의 반지름의 길이는 5 cm이다.

따라서 원기둥의 겉넓이는 $25\pi\times2+50\pi=100\pi$ (cm^2)

06 반구의 반지름의 길이를 r cm라고 하면 반구의 겉넓이는

$2\pi r^2+\pi r^2=3\pi r^2$ (cm^2)

즉, $3\pi r^2=147\pi$에서 $r^2=49$이므로 $r=7$

따라서 반구의 반지름의 길이는 7 cm이다.

07 각기둥의 겉넓이에서 원기둥의 밑넓이는 빼고 원기둥의 옆넓이는 더한다.

(각기둥의 밑넓이)$=\dfrac{1}{2}\times(3+6)\times4=18$ (cm^2)

(각기둥의 옆넓이)$=(3+4+6+5)\times6=108$ (cm^2)

(각기둥의 겉넓이)$=18\times2+108=144$ (cm^2)

(원기둥의 밑넓이)$=\pi$ cm^{2}이고

(원기둥의 옆넓이)$=2\pi\times6=12\pi$ (cm^2)

따라서 구하는 입체도형의 겉넓이는

$144-2\pi+12\pi=144+10\pi$ (cm^2)

즉, $a=144$, $b=10$이므로

$a+b=154$

08 반지름의 길이가 3 cm인 구의 겉넓이는

$4\pi\times3^2=36\pi$ (cm^2)

원뿔의 모선의 길이를 x cm라고 하면 원뿔의 겉넓이는

$9\pi+\dfrac{1}{2}\times6\pi\times x=9\pi+3\pi x$ (cm^2)

이때 $9\pi+3\pi x=36\pi$이므로 $x=9$

따라서 원뿔의 모선의 길이는 9 cm이다.

Level ③ 본문 90~91쪽

01 ③   **02** ④   **03** ⑤   **04** ⑤   **05** 80 cm^2

06 ②   **07** ④

---

01 실수하기 쉬운 부분 짚어보기

원기둥의 높이는 구의 지름의 길이와 같다.

구의 반지름의 길이를 x라고 하면 원기둥의 밑면의 반지름의 길이는 x이고 원기둥의 높이는 $2x$이다.

원기둥의 겉넓이는 $2\pi x^2+2\pi x\times2x=6\pi x^2$

구의 겉넓이는 $4\pi x^2$

따라서

(원기둥의 겉넓이) : (구의 겉넓이)$=6\pi x^2 : 4\pi x^2=3 : 2$

02 원뿔의 옆넓이는 큰 원의 넓이의 $\dfrac{1}{3}$이므로 원뿔의 옆넓이는

$36\pi\times\dfrac{1}{3}=12\pi$ (cm^2)이다.

이때 원뿔의 밑면의 반지름의 길이를 x cm라고 하면 밑면의 둘레는 $2\pi x$ cm이므로 원뿔의 옆넓이는

$\dfrac{1}{2}\times2\pi x\times6=6\pi x$ (cm^2)

$6\pi x=12\pi$에서 $x=2$

따라서 원뿔의 겉넓이는 $4\pi+12\pi=16\pi$ (cm^2)

03 부채꼴을 옆면으로 가지는 입체도형은 원뿔이다. 이때 부채꼴의 호의 길이는 $16\pi\times\dfrac{90}{360}=4\pi$ (cm)이고, 부채꼴의 호의 길이와 밑면의 둘레의 길이가 같으므로 밑면의 반지름의 길이는 2 cm이다.

(원뿔의 밑넓이)$=4\pi$ (cm^2)

(원뿔의 옆넓이)$=64\pi\times\dfrac{90}{360}=16\pi$ (cm^2)

따라서 원뿔의 겉넓이는

$4\pi+16\pi=20\pi$ (cm^2)

04 함정 피하기

회전체를 자르면 입체도형이 2개로 나눠지면서 단면 2개의 넓이가 추가된다.

주어진 회전체를 회전축에 수직인 방향으로 자르면 그 모양은 항상 원이고, 반지름의 길이가 6 cm일 때 그 넓이가 최대가 된

다. 잘린 두 입체도형은 원뿔과 반구이며, 원래의 회전체보다 반
지름의 길이가 6 cm인 원이 2개가 더 생긴다.
따라서 구하는 겉넓이의 차는
$36\pi \times 2 = 72\pi$ (cm²)

05

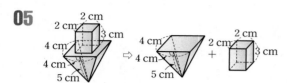

밑면이 정사각형인 사각뿔의 겉넓이는
$16 + \frac{1}{2} \times 4 \times 5 \times 4 = 56$ (cm²)
직육면체의 옆넓이는 $(2+2+2+2) \times 3 = 24$ (cm²)
따라서 주어진 입체도형의 겉넓이는
$56 + 24 = 80$ (cm²)

06 실수하기 쉬운 부분 짚어보기

원뿔대의 옆면의 넓이는 두 부채꼴의 넓이의 차를 이용한다.

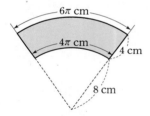

컵 홀더의 전개도는 위의 그림과 같으므로 큰 부채꼴의 넓이에
서 작은 부채꼴의 넓이를 빼면 된다.
$\therefore \frac{1}{2} \times 12 \times 6\pi - \frac{1}{2} \times 8 \times 4\pi = 20\pi$ (cm²)

07 입체도형을 그리면 다음과 같다.

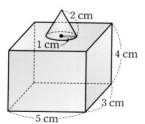

주어진 입체도형의 겉넓이는 직육면체의 겉넓이에서 원뿔의 밑
넓이를 빼고, 원뿔의 옆넓이를 더하면 된다.
(직육면체의 겉넓이)$=(15+20+12) \times 2 = 94$ (cm²)
(원뿔의 밑넓이)$=\pi$ cm²

(원뿔의 옆넓이)$=\frac{1}{2} \times 2\pi \times 2 = 2\pi$ (cm²)
그러므로 주어진 입체도형의 겉넓이는
$94 - \pi + 2\pi = 94 + \pi$ (cm²)
따라서 $a=94$, $b=1$이므로
$a-b=94-1=93$

Level ④ 본문 92~93쪽

01 ② **02** 12 cm² **03** 13통 **04** 40 **05** 144 cm²
06 68π cm² **07** $(40n+40\pi)$ cm²

01 풀이전략 주어진 도형의 전개도를 이용한다.
주어진 상황을 전개도에 나타내면 다음과 같다.

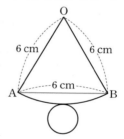

이때 삼각형 OAB는 정삼각형이므로 $\angle AOB = 60°$이다.
부채꼴의 호의 길이는 $12\pi \times \frac{60}{360} = 2\pi$ (cm)이므로 원뿔의 밑
면의 반지름의 길이는 1 cm이다.
(원뿔의 밑넓이)$=\pi \times 1^2 = \pi$ (cm²)
(원뿔의 옆넓이)$=36\pi \times \frac{60}{360} = 6\pi$ (cm²)
따라서 구하는 원뿔의 겉넓이는
$\pi + 6\pi = 7\pi$ (cm²)

02 풀이전략 정팔면체의 한 면의 넓이를 구한다.

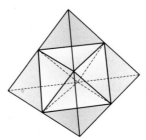

정사면체의 모서리의 중점을 연결하면 정팔면체가 생긴다. 정팔면체의 한 면의 넓이를 구해 보자.

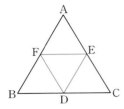

$\overline{BC}$, $\overline{CA}$, $\overline{AB}$의 중점을 각각 D, E, F라고 하자.
삼각형 AEF와 삼각형 BDF에서 $\angle A = \angle B = 60°$이고
$\overline{AE} = \overline{BD}$, $\overline{AF} = \overline{BF}$이므로
$\triangle AEF \equiv \triangle BDF$(SAS 합동)이다.
같은 방법으로 $\triangle AEF \equiv \triangle CDE$이다.
또한 삼각형 AEF와 삼각형 DEF에서
$\overline{AE} = \overline{DE} = \overline{EF} = \overline{FD}$이므로
$\triangle AEF \equiv \triangle DEF$ (SSS 합동)이다.
정사면체의 겉넓이가 24 cm²이므로 삼각형 ABC의 넓이는 6 cm²이고 삼각형 네 개가 모두 합동이므로 삼각형 DEF의 넓이는 $6 \div 4 = \dfrac{3}{2}$ (cm²)이다.

따라서 정팔면체의 겉넓이는 $\dfrac{3}{2} \times 8 = 12$ (cm²)

03 **풀이전략** 페인트로 칠하는 부분의 겉넓이를 구한 후, 페인트가 최소 몇 통 필요한지 생각해본다.

원기둥의 옆넓이는 $100\pi \times 30 = 3000\pi$ (cm²)
반구 부분을 제외한 원기둥의 밑넓이는
$2500\pi - 900\pi = 1600\pi$ (cm²)
반구의 겉넓이는 $4\pi \times 900 \times \dfrac{1}{2} = 1800\pi$ (cm²)

따라서 페인트를 칠하는 부분의 넓이는 6400π cm²이므로 페인트는 최소 13통이 필요하다.

04 **풀이전략** 원기둥의 높이를 구한다.

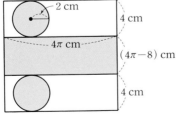

원기둥의 밑면의 둘레의 길이가 4π cm이므로 밑면의 반지름의 길이는 2 cm이다.
이때 원기둥의 높이는 $(4\pi - 8)$ cm이다.

원기둥의 밑넓이는 4π cm²
원기둥의 옆넓이는 $4\pi(4\pi - 8) = 16\pi^2 - 32\pi$ (cm²)
그러므로 원기둥의 겉넓이는
$8\pi + (16\pi^2 - 32\pi) = 16\pi^2 - 24\pi$ (cm²)
따라서 $a = 16$, $b = -24$이므로
$a - b = 16 - (-24) = 40$

05 **풀이전략** [4단계]에서 만들어지는 입체도형의 겉넓이를 구할 때, 바라보는 위치에 따라 겉넓이를 각각 구하여 더한다.

앞과 뒤, 양 옆, 위와 아래에서 본 입체도형의 모습은 다음과 같다.

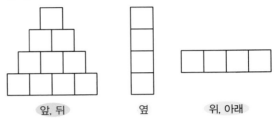

| 앞, 뒤 | 옆 | 위, 아래 |

각 위치에서 보이는 정사각형의 개수는 앞에서 10개, 뒤에서 10개, 왼쪽에서 4개, 오른쪽에서 4개, 위에서 4개, 아래에서 4개이므로 총 36개이다.
이때 정육면체의 한 면의 넓이는 4 cm²이므로 [4단계]에서 만들어지는 입체도형의 겉넓이는 $36 \times 4 = 144$ (cm²)

06 **풀이전략** 회전체를 그려 보고, 겉넓이를 나누어서 구한다.

회전체의 모양은 다음과 같다.

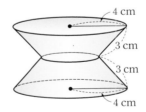

이때 회전체를 회전축에 수직인 방향으로 높이의 가운데 지점을 지나도록 자르면 합동인 두 원뿔대가 생긴다.

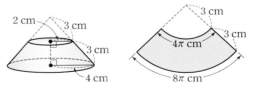

(원뿔대의 옆넓이)$= \dfrac{1}{2} \times 8\pi \times 6 - \dfrac{1}{2} \times 4\pi \times 3 = 18\pi$ (cm²)

(원뿔대의 밑넓이)$= 16\pi$ (cm²)
따라서 주어진 회전체의 겉넓이는
$(18\pi + 16\pi) \times 2 = 68\pi$ (cm²)

07 <u>풀이전략</u> 음료수 캔 n개를 포장할 때 필요한 포장지의 가로의 길이를 직선 구간과 곡선 구간으로 나누어 구한다.

오른쪽 그림과 같이 음료수 캔의 중심을 차례대로 O_1, O_2, O_3, $\cdots$, O_n이라 하고 원 $O_i(i=1,\ 2,\ 3,\ \cdots,\ n)$와 포장지가 만나는 두 점을 각각 A_i, B_i라고 하자.

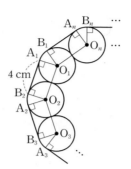

이때 사각형 $O_1O_2B_2A_1$, 사각형 $O_2O_3B_3A_2$, $\cdots$, 사각형 $O_nO_1B_1A_n$은 직사각형 이고

$$\overline{A_1B_2}=\overline{A_2B_3}=\cdots=\overline{A_nB_1}=4\ (\text{cm})$$

정n각형의 한 내각의 크기는 $\dfrac{180°\times(n-2)}{n}$이므로

$$\angle A_1O_1B_1=\angle A_2O_2B_2=\cdots=\angle A_nO_nB_n$$
$$=360°-90°-90°-\dfrac{180°\times(n-2)}{n}$$
$$=\dfrac{360°}{n}$$

$$\overset{\frown}{A_1B_1}=\overset{\frown}{A_2B_2}=\cdots=\overset{\frown}{A_nB_n}$$
$$=2\times\pi\times2\times\dfrac{\angle A_1O_1B_1}{360°}$$
$$=2\times\pi\times2\times\dfrac{360°}{n}\times\dfrac{1}{360°}$$
$$=\dfrac{4\pi}{n}\ (\text{cm})$$

따라서 음료수 캔 n개를 포장할 때 필요한 포장지의 가로의 길이는

$$\overset{\frown}{A_1B_1}+\overline{A_1B_2}+\overset{\frown}{A_2B_2}+\overline{A_2B_3}+\cdots+\overset{\frown}{A_nB_n}+\overline{A_nB_1}$$
$$=n\times4+n\times\dfrac{4\pi}{n}$$
$$=4n+4\pi\ (\text{cm})$$

이고 필요한 포장지의 넓이는

$$(4n+4\pi)\times10=40n+40\pi\ (\text{cm}^2)$$

Ⅶ. 입체도형

7 입체도형의 부피

Level 1

본문 96~99쪽

01 ④　**02** ⑤　**03** ②　**04** ③　**05** ④　**06** ③　**07** ①

08 ②　**09** ③　**10** ①　**11** ⑤　**12** ⑤　**13** ③

14 (1) 12 cm　(2) 3π cm^2　**15** ⑤　**16** ②

---

01 $(\text{밑넓이})=\dfrac{1}{2}\times3\times4+\dfrac{1}{2}\times5\times12=36\ (\text{cm}^2)$

따라서 구하는 부피는 $36\times6=216\ (\text{cm}^3)$

02 $(\text{밑넓이})=9\pi\times\dfrac{300°}{360°}=\dfrac{15}{2}\pi\ (\text{cm}^2)$

따라서 구하는 부피는

$\dfrac{15}{2}\pi\times8=60\pi\ (\text{cm}^3)$

03 구의 부피의 절반이므로

$\dfrac{4}{3}\pi\times6^3\times\dfrac{1}{2}=144\pi\ (\text{cm}^3)$

04 $(\text{큰 원뿔의 부피})=\dfrac{1}{3}\times36\pi\times9=108\pi\ (\text{cm}^3)$

$(\text{작은 원뿔의 부피})=\dfrac{1}{3}\times16\pi\times6=32\pi\ (\text{cm}^3)$

따라서 구하는 원뿔대의 부피는

$(\text{큰 원뿔의 부피})-(\text{작은 원뿔의 부피})$이므로

$108\pi-32\pi=76\pi\ (\text{cm}^3)$

05 원뿔 모양의 쇠의 부피는

$\dfrac{1}{3}\times36\pi\times8=96\pi\ (\text{cm}^3)$

반지름의 길이가 2 cm인 쇠공 1개의 부피는

$\dfrac{4}{3}\pi\times2^3=\dfrac{32}{3}\pi\ (\text{cm}^3)$

쇠공의 개수를 x개라고 하면 x개의 쇠공의 부피 $\dfrac{32}{3}\pi x$는 96π 보다 작거나 같아야 한다.

$\dfrac{32}{3}\pi x=96\pi$에서 $x=9$

따라서 최대 9개의 쇠공을 만들 수 있다.

06 원기둥의 밑면의 둘레의 길이가 6π cm이므로
밑면의 반지름의 길이를 r cm라고 하면
$2\pi r=6\pi$에서 $r=3$ (cm)
따라서 원기둥의 부피는 $9\pi \times 5=45\pi$ (cm^3)

07 반원의 호의 길이는 $20\pi \times \dfrac{1}{2}=10\pi$ (cm)이므로
원뿔의 밑면의 반지름의 길이를 r cm라고 하면
$2\pi r=10\pi$에서 $r=5$ (cm)
원뿔의 높이를 x cm라고 하면
$\dfrac{1}{3} \times 25\pi \times x=50\pi$에서 $x=6$
따라서 원뿔의 높이는 6 cm이다.

08 주어진 입체도형의 밑면의 넓이는
$9\pi-6 \times 6 \times \dfrac{1}{2}=9\pi-18$ (cm^2)
이므로 주어진 입체도형의 부피는
$(9\pi-18) \times 4=36\pi-72$ (cm^3)
따라서 $a=36$, $b=-72$이므로
$a+b=36+(-72)=-36$

09 정사각뿔의 높이를 x cm라고 하면 정사각뿔의 부피는
$\dfrac{1}{3} \times 36 \times x=12x$ (cm^3)
정사각뿔 모양의 그릇에 물을 두 번 부었더니 넘치지도 않고 가득 찼으므로 $12x \times 2=216$에서 $x=9$
따라서 구하는 그릇의 높이는 9 cm이다.

10 큰 사각뿔의 부피는 $\dfrac{1}{3} \times 64 \times 12=256$ (cm^3)
작은 사각뿔의 부피는 $\dfrac{1}{3} \times 36 \times 9=108$ (cm^3)
따라서 구하는 사각뿔대의 부피는
(큰 사각뿔의 부피)$-$(작은 사각뿔의 부피)이므로
$256-108=148$ (cm^3)

11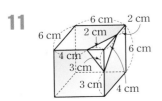

정육면체의 부피는 $6 \times 6 \times 6=216$ (cm^3)
잘라낸 삼각뿔의 부피는 $\dfrac{1}{3} \times \left(\dfrac{1}{2} \times 2 \times 4 \right) \times 3=4$ (cm^3)
따라서 구하는 입체도형의 부피는
$216-4=212$ (cm^3)

12 이 입체도형의 겉넓이를 구할 때 원뿔과 원기둥의 겉넓이의 합에서 원뿔의 밑넓이인 25π cm^{2}가 두 번 빠진다.

13 큰 구의 부피는 $\dfrac{4}{3}\pi \times 4^3=\dfrac{256}{3}\pi$ (cm^3)
작은 구의 부피는 $\dfrac{4}{3}\pi \times 3^3=36\pi$ (cm^3)
따라서 구하는 회전체의 부피는
(큰 구의 부피)$-$(작은 구의 부피)이므로
$\dfrac{256}{3}\pi-36\pi=\dfrac{148}{3}\pi$ (cm^3)
즉, $a=\dfrac{148}{3}\pi$이므로 $3a=148\pi$

14 (1) 오각뿔의 높이를 x cm라고 하면
$\dfrac{1}{3} \times 30 \times x=120$이므로 $x=12$
따라서 오각뿔의 높이는 12 cm이다.
(2) 원기둥의 밑넓이를 S cm^{2}라고 하면
$S \times 5=15\pi$이므로 $S=3\pi$
따라서 원기둥의 밑넓이는 3π cm^{2}이다.

15 구의 반지름의 길이를 x cm라고 하면 정육면체의 한 모서리의 길이는 $2x$ cm이다.
구의 부피는 $\dfrac{4}{3}\pi x^3$ cm^3
정육면체의 부피는 $(2x)^3=8x^3$ (cm^3)
따라서 구와 정육면체의 부피의 비는
$\dfrac{4}{3}\pi x^3 : 8x^3=\pi : 6$

16 원기둥의 부피는 $4\pi \times 12=48\pi$ (cm^3)
구 1개의 부피는 $\dfrac{4}{3}\pi \times 2^3=\dfrac{32}{3}\pi$ (cm^3)
따라서 통 속의 빈 공간의 부피는
$48\pi-\dfrac{32}{3}\pi \times 3=16\pi$ (cm^3)

01 ⑤　　02 ①　　03 ④　　04 ①　　05 ①　　06 4

07 1 : 4 : 6　　08 ②　　09 ②　　10 ⑤　　11 ①

12 상자 B　13 ②　　14 ②　　15 ③　　16 ①

01 정육면체의 부피는 $6^3=216 \ (\text{cm}^3)$

삼각뿔의 부피는 $\dfrac{1}{3} \times \dfrac{1}{2} \times 3 \times 3 \times 3 = \dfrac{9}{2} \ (\text{cm}^3)$

따라서 구하는 입체도형의 부피는

$216 - \dfrac{9}{2} \times 8 = 180 \ (\text{cm}^3)$

02 원뿔의 부피는 $\dfrac{1}{3} \times 16\pi \times 5 = \dfrac{80}{3}\pi \ (\text{cm}^3)$

원기둥의 부피는 $4\pi \times 2 = 8\pi \ (\text{cm}^3)$

따라서 구하는 입체도형의 부피는

(원뿔의 부피)－(원기둥의 부피)이므로

$\dfrac{80}{3}\pi - 8\pi = \dfrac{56}{3}\pi \ (\text{cm}^3)$

이때 $a=56$, $b=3$이므로 $a-b=53$

03 원기둥의 높이를 $x \ \text{cm}$라고 하면

원기둥의 겉넓이는 $(18\pi + 6\pi x) \ \text{cm}^2$이므로

$a = 18\pi + 6\pi x$

원기둥의 부피는 $9\pi x \ \text{cm}^3$이므로

$b = 9\pi x$

이때 원기둥의 겉넓이와 부피가 같으므로

$18\pi + 6\pi x = 9\pi x$에서

$x = 6$

따라서 원기둥의 높이는 $6 \ \text{cm}$이다.

04 반지름의 길이가 $3 \ \text{cm}$인 공의 부피는 $\dfrac{4}{3}\pi \times 3^3 = 36\pi \ (\text{cm}^3)$

이므로 공 2개의 부피는 $36\pi \times 2 = 72\pi \ (\text{cm}^3)$이고, 원기둥의

밑넓이는 $36\pi \ \text{cm}^2$이므로 구 모양의 공 2개를 넣으면 물의 높이

가 $2 \ \text{cm}$만큼 올라간다.

따라서 공을 넣기 전 물의 높이가 $7 \ \text{cm}$이므로 공을 넣으면 물의

높이가 $9 \ \text{cm}$가 된다.

05 조건 (가)에 의해 밑면의 반지름의 길이가 $5 \ \text{cm}$인 원기둥임을

알 수 있다. 또 조건 (나)에 의해 원기둥의 높이는 $3 \ \text{cm}$이다.

이 원기둥의 부피는 $25\pi \times 3 = 75\pi \ (\text{cm}^3)$이다.

06 하나의 입체도형을 두 개 이상의 입체도형으로 나누면 전체 부

피의 합은 그대로이지만, 전체 겉넓이의 합은 증가한다.

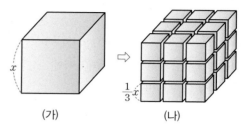

(가)　　　　　　(나)

(가) 도형의 정육면체의 한 모서리의 길이를 x라고 하면 (나) 도형

의 작은 정육면체의 한 모서리의 길이는 $\dfrac{1}{3}x$이다.

이때 (가) 도형의 겉넓이는 $x \times x \times 6 = 6x^2$이고, (나) 도형의 전

체 겉넓이의 합은 $\left(\dfrac{1}{3}x \times \dfrac{1}{3}x \times 6\right) \times 27 = 18x^2$이다.

즉, (나) 도형의 전체 겉넓이의 합은 (가) 도형의 겉넓이의 3배

이다.

∴ $a = 3$

(가) 도형의 부피는 $x \times x \times x = x^3$이고 (나) 도형의 전체 부피의

합은 $\left(\dfrac{1}{3}x \times \dfrac{1}{3}x \times \dfrac{1}{3}x\right) \times 27 = x^3$이므로 $b = 1$이다.

따라서 $a + b = 4$

07 구의 반지름의 길이를 $x \ \text{cm}$라고 하면 원뿔은 밑면의 반지름의

길이가 $x \ \text{cm}$, 높이가 $x \ \text{cm}$이고, 원기둥은 밑면의 반지름의 길

이가 $x \ \text{cm}$, 높이가 $2x \ \text{cm}$이다.

(원뿔의 부피)$=\dfrac{1}{3}\pi x^3 \ \text{cm}^3$

(구의 부피)$=\dfrac{4}{3}\pi x^3 \ \text{cm}^3$

(원기둥의 부피)$=2\pi x^3 \ \text{cm}^3$

따라서

(원뿔의 부피) : (구의 부피) : (원기둥의 부피)

$=\dfrac{1}{3}\pi x^3 : \dfrac{4}{3}\pi x^3 : 2\pi x^3$

$=1 : 4 : 6$

08 쓰레기통의 내부의 부피는 직육면체의 가로와 세로에서 각각

$2 \ \text{cm}$씩, 높이에서는 $1 \ \text{cm}$가 줄어 들었다.

따라서 이 쓰레기통의 내부의 부피는

$10 \times 10 \times 15 = 1500 \ (\text{cm}^3)$

09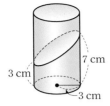

주어진 도형과 합동인 입체도형을 비스듬한 면끼리 붙이면
밑면의 반지름의 길이가 3 cm, 높이가 10 cm인 원기둥이 된다.
이때 주어진 도형의 부피는 원기둥 부피의 절반이므로

$\frac{1}{2} \times 9\pi \times 10 = 45\pi \ (\mathrm{cm}^3)$

10 반지름의 길이가 r인 구의 겉넓이는 $4\pi r^2$이고 원의 넓이는 πr^2
이므로 4배이다. $\therefore a = 4$

뿔의 부피는 $\frac{1}{3} \times ($ 밑넓이$) \times ($ 높이$)$이므로 기둥의 부피는 뿔의

부피의 3배이다. $\therefore b = 3$

따라서 $a + b = 4 + 3 = 7$

11 큰 원뿔의 부피는 $\frac{1}{3} \times 100\pi \times 2x = \frac{200x}{3}\pi \ (\mathrm{cm}^3)$

작은 원뿔의 부피는 $\frac{1}{3} \times 25\pi \times x = \frac{25x}{3}\pi \ (\mathrm{cm}^3)$

따라서 원뿔대의 부피는 $\frac{200x}{3}\pi - \frac{25x}{3}\pi = \frac{175x}{3}\pi \ (\mathrm{cm}^3)$

이때 원뿔대의 부피가 175π이므로

$\frac{175x}{3}\pi = 175\pi$에서 $x = 3$

12 [상자 A] 사과 전체의 부피는 $\frac{4}{3}\pi \times 3^3 \times 10 = 360\pi \ (\mathrm{cm}^3)$

[상자 B] 사과 전체의 부피는 $\frac{4}{3}\pi \times 6^3 \times 3 = 864\pi \ (\mathrm{cm}^3)$

따라서 상자 B의 사과 전체의 부피가 더 크므로 상자 B를 사는
것이 유리하다.

13 원뿔 모양의 그릇의 부피는 $\frac{1}{3} \times 9\pi \times 5 = 15\pi \ (\mathrm{cm}^3)$

따라서 1분에 $3\pi \ \mathrm{cm}^3$씩 채우므로 $15\pi \ \mathrm{cm}^3$를 채우려면 5분이
걸린다.

14 반구의 부피는 $\frac{4}{3}\pi \times 4^3 \times \frac{1}{2} = \frac{128}{3}\pi \ (\mathrm{cm}^3)$

원뿔의 부피는 $\frac{1}{3} \times 16\pi \times 4 = \frac{64}{3}\pi \ (\mathrm{cm}^3)$

따라서 주어진 입체도형의 부피는

$\frac{128}{3}\pi - \frac{64}{3}\pi = \frac{64}{3}\pi \ (\mathrm{cm}^3)$

15 원기둥의 부피는 $9\pi \times 5 = 45\pi \ (\mathrm{cm}^3)$

두 반구를 합치면 하나의 구가 되므로 반지름의 길이가 3 cm인
구의 부피는

$\frac{4}{3}\pi \times 3^3 = 36\pi \ (\mathrm{cm}^3)$

따라서 주어진 입체도형의 부피는

$45\pi + 36\pi = 81\pi \ (\mathrm{cm}^3)$

16 물통 A에 들어 있는 물의 부피는 삼각뿔의 부피와 같으므로

$\frac{1}{3} \times \frac{1}{2} \times 5 \times 6 \times 2 = 10 \ (\mathrm{cm}^3)$

물통 B에 들어 있는 물의 부피는 $10x \ \mathrm{cm}^3$이므로

$10x = 10$에서 $x = 1$

Level 3   본문 104~105쪽

01 ④   **02** ②   **03** ⑤   **04** 190 m³   **05** ③

06 ⑤   **07** 12000원

01 사각뿔의 밑넓이는 18 cm²이고 사각뿔의 높이가 3 cm이므로
사각뿔의 부피는

$\frac{1}{3} \times 18 \times 3 = 18 \ (\mathrm{cm}^3)$

따라서 정팔면체는 사각뿔이 2개가 있으므로 정팔면체의 부피는

$18 \times 2 = 36 \ (\mathrm{cm}^3)$

02 반구의 부피는

$\frac{4}{3}\pi \times 3^3 \times \frac{1}{2} = 18\pi \ (\mathrm{cm}^3)$

반구에 들어 있던 물을 원기둥으로 옮길 때,
올라가는 수면의 높이를 $x \ \mathrm{cm}$라고 하면

$9\pi x = 18\pi$에서 $x = 2$

즉, 기존 7 cm에서 물통을 뒤집으면 원기둥의 높이가 2 cm가
더 올라가서 9 cm가 된다.

03 실수하기 쉬운 부분 짚어보기

회전체에서 원기둥의 밑면의 반지름을 잘 찾아야 해요. 회전축을 그리면 덜 헷갈려요.

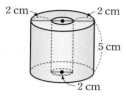

큰 원기둥의 부피는 $9\pi \times 5 = 45\pi$ (cm³)
작은 원기둥의 부피는 $\pi \times 5 = 5\pi$ (cm³)
따라서 구하는 입체도형의 부피는
$45\pi - 5\pi = 40\pi$ (cm³)

04 밑면을 H, I가 적힌 부분으로 보면 높이는 모두 5 m이다.
H가 적힌 조형물의 밑넓이는
$(5 \times 7) - 2 \times (3 \times 1) = 29$ (m²)
I가 적힌 조형물의 밑넓이는
$(3 \times 5) - 2 \times (1 \times 3) = 9$ (m²)
따라서 HI가 적힌 조형물의 부피는
$(29 + 9) \times 5 = 190$ (m³)

05 구의 반지름의 길이를 x cm라고 하면 원뿔은 밑면의 반지름의 길이가 x cm, 높이가 $2x$ cm이고 원기둥은 밑면의 반지름의 길이가 x cm, 높이가 $2x$ cm이다.
(원뿔의 부피)$= \dfrac{2}{3}\pi x^3$ (cm³)
(구의 부피)$= \dfrac{4}{3}\pi x^3$ (cm³)
(원기둥의 부피)$= 2\pi x^3$ (cm³)
(원뿔의 부피) : (구의 부피) : (원기둥의 부피)
$= \dfrac{2}{3}\pi x^3 : \dfrac{4}{3}\pi x^3 : 2\pi x^3 = 1 : 2 : 3$
이때 원기둥의 부피가 54π cm³이므로 원뿔의 부피는 18π cm³이고 구의 부피는 36π cm³이다.
따라서 구의 부피와 원뿔의 부피의 합은
$36\pi + 18\pi = 54\pi$ (cm³)

06 칸막이가 있을 경우 물의 부피는 두 부분으로 나누어서 구할 수 있다.
$(2 \times 6 \times 3) + (6 \times 6 \times 7) = 288$ (cm³)
칸막이를 뺄 경우 밑면의 넓이는 $8 \times 6 = 48$ (cm²)이므로 부피가 288 cm³인 물을 담을 경우 높이는 $288 \div 48 = 6$ (cm) 가 된다.

07 조각 케이크 한 조각의 부피는
$100\pi \times \dfrac{30°}{360°} \times 6 = 50\pi$ (cm³)
이므로 3조각의 부피는 $50\pi \times 3 = 150\pi$ (cm³)
따라서 부피 10π cm³당 800원이므로 150π cm³에 대한 가격은
$800 \times \dfrac{150\pi}{10\pi} = 12000$ (원)

Level 4
본문 106~107쪽

01 ②   **02** (1) 144 cm² (2) 72 cm³ (3) 4 cm   **03** 72π cm³

04 ③   **05** ①   **06** π   **07** (78+3π) cm³

01 풀이전략 부피를 직접 구할 수 없을 경우, 삭제되는 부분을 뺀다.
사면체의 부피는 정육면체의 부피에서 삼각뿔 4개의 부피를 빼면 구할 수 있다.
정육면체의 부피는 $9 \times 9 \times 9 = 729$ (cm³)
삼각뿔의 부피는 $\dfrac{1}{3} \times \dfrac{1}{2} \times 9 \times 9 \times 9 = \dfrac{243}{2}$ (cm³)
따라서 사면체의 부피는
$729 - 4 \times \dfrac{243}{2} = 243$ (cm³)

02 풀이전략 부피를 구할 때, 밑면을 무엇으로 정하는지에 따라 높이가 달라진다.
(1) 입체도형의 전개도가 한 변의 길이가 12 cm인 정사각형이므로 입체도형의 겉넓이는 144 cm²이다.
(2) 삼각형 CEF를 밑면으로 하면 높이가 12 cm인 삼각뿔이므로 이 삼각뿔의 부피는 $\dfrac{1}{3} \times \dfrac{1}{2} \times 6 \times 6 \times 12 = 72$ (cm³)
(3) 삼각형 AEF의 넓이는 정사각형에서 삼각형 ABE, CEF, ADF를 빼면 된다.
삼각형 AEF의 넓이는
$144 - \left(\dfrac{1}{2} \times 6 \times 12\right) - \left(\dfrac{1}{2} \times 6 \times 6\right) - \left(\dfrac{1}{2} \times 6 \times 12\right)$
$= 54$ (cm²)
밑면이 삼각형 AEF일 때, 높이를 x cm라고 하면
각뿔의 부피는 72 cm³이므로

$\frac{1}{3} \times 54 \times x = 72$에서 $18x = 72$

$\therefore x = 4$

따라서 구하는 높이는 4 cm이다.

---

03 〔풀이전략〕 각 입체도형에서 겉넓이가 줄어든 부분의 넓이와 늘어난 부분의 넓이를 고려한다.

입체도형 (가)에서 한 모서리를 기준으로 반지름의 길이가 r cm인 반원 모양 2개가 잘렸으므로 줄어든 부분의 넓이는

$2 \times \left(\frac{1}{2} \pi r^2 \right) = \pi r^2 \, (\text{cm}^2)$

또한 반지름의 길이가 r cm인 구의 겉넓이의 $\frac{1}{4}$이 늘어났으므로 늘어난 부분의 넓이는

$\frac{1}{4} \times (4\pi r^2) = \pi r^2 \, (\text{cm}^2)$

줄어든 부분의 넓이와 늘어난 부분의 넓이가 같으므로 입체도형 (가)는 한 모서리의 길이가 12 cm인 정육면체의 겉넓이와 같다.

입체도형 (나)에서 한 꼭짓점을 기준으로 반지름의 길이가 r cm인 사분원 모양 3개가 잘렸으므로 줄어든 부분의 넓이는

$3 \times \left(\frac{1}{4} \pi r^2 \right) = \frac{3}{4} \pi r^2 \, (\text{cm}^2)$

또한 반지름의 길이가 r cm인 구의 겉넓이의 $\frac{1}{8}$이 늘어났으므로 늘어난 부분의 넓이는

$\frac{1}{8} \times (4\pi r^2) = \frac{1}{2} \pi r^2 \, (\text{cm}^2)$

각 꼭짓점마다 $-\frac{3}{4} \pi r^2 + \frac{1}{2} \pi r^2 = -\frac{1}{4} \pi r^2 \, (\text{cm}^2)$,

즉 $\frac{1}{4} \pi r^2$ cm²의 넓이가 줄어들었으므로

입체도형 (나)는 한 모서리의 길이가 12 cm인 정육면체의 겉넓이보다 $8 \times \frac{1}{4} \pi r^2 = 2\pi r^2 \, (\text{cm}^2)$만큼 작다.

그러므로 입체도형 (가)와 입체도형 (나)의 겉넓이의 차는

$2\pi r^2 = 18\pi$이므로 $r = 3 \, (\text{cm})$

입체도형 (가)에서 한 모서리를 기준으로 반지름의 길이가 3 cm인 구의 부피의 $\frac{1}{4}$이 줄어들었으므로 입체도형 (가)는 한 모서리의 길이가 12 cm인 정육면체의 부피보다

$12 \times \frac{1}{4} \times \left(\frac{4}{3} \pi \times 3^3 \right) = 108\pi \, (\text{cm}^3)$만큼 작다.

입체도형 (나)에서 한 꼭짓점을 기준으로 반지름의 길이가 3 cm인 구의 부피의 $\frac{1}{8}$이 줄어들었으므로 입체도형 (나)는 한 모서리의 길이가 12 cm인 정육면체의 부피보다

$8 \times \frac{1}{8} \times \left(\frac{4}{3} \pi \times 3^3 \right) = 36\pi \, (\text{cm}^3)$만큼 작다.

따라서 두 입체도형의 부피의 차는

$108\pi - 36\pi = 72\pi \, (\text{cm}^3)$

04 〔풀이전략〕 한 점에서 거리가 같은 점들을 모으면 평면에서는 원이, 공간에서는 구가 된다.

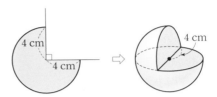

잠자리가 날아다닐 수 있는 공간은 반지름의 길이가 4 cm인 구에서 정육면체 일부를 뺀 부분이다.

이것은 구의 부피의 $\frac{3}{4}$이므로 최대 공간의 부피는

$\frac{4}{3} \pi \times 4^3 \times \frac{3}{4} = 64\pi \, (\text{cm}^3)$

05 〔실수하기 쉬운 부분 짚어보기〕

합동인 원기둥이 몇 개가 생기는지 확인해 본다.

주어진 도형과 합동인 입체도형을 비스듬한 면끼리 붙이면 밑면의 반지름의 길이가 1 cm, 높이가 6 cm인 원기둥이 3개가 생긴다.

이때 주어진 도형의 부피는 3개의 원기둥 부피의 절반이므로

$\frac{1}{2} \times \pi \times 6 \times 3 = 9\pi \, (\text{cm}^3)$

06 〔풀이전략〕 정팔면체는 사각뿔 2개로 나눌 수 있으며 사각뿔의 높이는 구의 반지름의 길이와 같다.

구의 반지름의 길이를 r cm라고 하면 사각뿔의 밑면은 오른쪽 그림과 같다.

이때 사각뿔의 밑넓이는 $2r^2$ cm², 높이는 r cm이므로 사각뿔의 부피는

$\frac{1}{3} \times 2r^2 \times r = \frac{2r^3}{3} \, (\text{cm}^3)$

이고, 정팔면체는 사각뿔의 부피의 2배이므로

$b = \frac{2r^3}{3} \times 2 = \frac{4r^3}{3} \, (\text{cm}^3)$

구의 부피는 $a = \frac{4\pi r^3}{3} \, (\text{cm}^3)$

$\therefore \frac{a}{b} = \frac{4\pi r^3}{3} \div \frac{4r^3}{3} = \pi$

07 풀이전략 원기둥의 밑면이 최대한 움직일 수 있는 영역을 그림으로 나타낸다.

원기둥의 밑면이 최대한 움직일 수 있는 영역을 나타내면 오른쪽 그림과 같다.

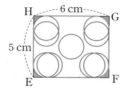

밑면 EFGH에서 원기둥의 밑면이 될 수 없는 부분, 즉 어두운 부분을 빼면 원기둥의 밑면이 최대한 움직일 때 지나는 영역의 밑면의 넓이를 구할 수 있다.

어두운 부분의 넓이는 오른쪽 그림과 같이 한 변의 길이가 1 cm인 정사각형의 넓이에서 반지름의 길이가 1 cm이고 중심각의 크기가 90°인 부채꼴의 넓이를 뺀 것과 같으므로

$$1 \times 1 - \pi \times 1 \times 1 \times \frac{90}{360} = 1 - \frac{1}{4}\pi \ (\text{cm}^2)$$

같은 모양이 4개 있으므로 원기둥의 밑면이 최대한 움직일 때 지나는 영역의 밑면의 넓이는

$$(\text{사각형 EFGH의 넓이}) - 4 \times \left(1 - \frac{1}{4}\pi\right) = 30 - 4\left(1 - \frac{1}{4}\pi\right)$$
$$= 26 + \pi \ (\text{cm}^2)$$

따라서 원기둥이 움직일 수 있는 공간의 최대 부피는

$$(26 + \pi) \times 3 = 78 + 3\pi \ (\text{cm}^3)$$

대단원 마무리 **Level 종합** 본문 108~109쪽

01 ④ **02** ① **03** ④ **04** ⑤ **05** ③ **06** 84 cm²

07 (1) 25 cm³ (2) 28 cm³ **08** 겉넓이: $\frac{153}{4}\pi$ cm², 부피: $\frac{63}{2}\pi$ cm³

09 52초 **10** ㄱ, ㄷ, ㄹ

01 ① 4개 ② 6개 ③ 5개 ④ 8개 ⑤ 6개

02 한 꼭짓점에 모인 면의 개수가 5개인 정다면체는 정이십면체이다.
① 모서리의 개수는 30개이다.

---

03 회전체는 다음 그림과 같다.

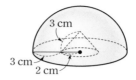

반구 부분의 겉넓이는 $4\pi \times 5^2 \times \frac{1}{2} = 50\pi \ (\text{cm}^2)$

밑넓이는 $25\pi - 4\pi = 21\pi \ (\text{cm}^2)$

원뿔의 옆넓이는 $\frac{1}{2} \times 4\pi \times 3 = 6\pi \ (\text{cm}^2)$

따라서 회전체의 겉넓이는
$50\pi + 21\pi + 6\pi = 77\pi \ (\text{cm}^2)$

04 중심각의 크기가 90°이고 넓이가 9π cm²인 부채꼴의 반지름의 길이를 r cm라고 하면

$\pi r^2 \times \frac{90}{360} = 9\pi$이므로

$r^2 = 36$

$r = 6$

즉, 부채꼴의 반지름의 길이는 6 cm이다.

부채꼴의 호의 길이는 $12\pi \times \frac{90}{360} = 3\pi \ (\text{cm})$이고 이는 밑면의 둘레의 길이와 같다.

따라서 밑면의 반지름의 길이는 $\frac{3}{2}$ cm이고 밑면의 넓이는

$\frac{9}{4}\pi$ cm²이다.

따라서 $a = 9$, $b = 4$이므로

$a - b = 9 - 4 = 5$

05 원기둥의 옆넓이는 $6\pi \times 10 = 60\pi \ (\text{cm}^2)$

따라서 롤러를 4바퀴 굴렸을 때, 칠할 수 있는 벽의 넓이는
$60\pi \times 4 = 240\pi \ (\text{cm}^2)$

06 앞과 뒤, 양 옆, 즉 4군데에서 본 입체도형의 모양은 [그림 1]과 같고, 위와 아래에서 본 입체도형의 모양은 [그림 2]와 같다.

[그림 1] [그림 2]

각 위치에서 보이는 정사각형의 개수는
$6 \times 4 + 9 \times 2 = 42$(개)

정육면체의 한 면의 넓이는 2 cm²이다.
따라서 구하는 입체도형의 겉넓이는 $42 \times 2 = 84 \ (\mathrm{cm}^2)$

07 (1) (부피)$= \dfrac{1}{3} \times \dfrac{1}{2} \times 5 \times 5 \times 6 = 25 \ (\mathrm{cm}^3)$

(2) (부피)$= \dfrac{1}{3} \times \dfrac{1}{2} \times (5+2) \times 4 \times 6 = 28 \ (\mathrm{cm}^3)$

08 (겉넓이)$= 4\pi \times 3^2 \times \dfrac{7}{8} + \pi \times 3^2 \times \dfrac{90}{360} \times 3$

$\qquad = \dfrac{153}{4}\pi \ (\mathrm{cm}^2)$

(부피)$= \dfrac{4}{3}\pi \times 3^3 \times \dfrac{7}{8}$

$\qquad = \dfrac{63}{2}\pi \ (\mathrm{cm}^3)$

09 2초 동안 채워진 물의 양은 $\dfrac{1}{3} \times 4\pi \times 3 = 4\pi \ (\mathrm{cm}^3)$이므로

1초당 물이 채워지는 양은 $2\pi \mathrm{cm}^3$이다.

그릇이 가득 찼을 때의 물의 양은

$\dfrac{1}{3} \times 36\pi \times 9 = 108\pi \ (\mathrm{cm}^3)$이므로 남은 부분의 부피는

$108\pi - 4\pi = 104\pi \ (\mathrm{cm}^3)$

따라서 물을 가득 채우려면

$104\pi \div 2\pi = 52$(초)가 더 걸린다.

10 구의 반지름의 길이를 r라고 하면 원기둥과 원뿔의 밑면의 반지름의 길이는 r이고 높이는 모두 $2r$이다.

ㄴ. 원뿔을 회전축을 포함하는 평면으로 자른 단면은 밑변의 길이가 $2r$, 높이도 $2r$인 이등변삼각형이다.

ㄷ. 원기둥의 옆넓이는 $2\pi r \times 2r = 4\pi r^2$이므로 구의 겉넓이와 같다.

ㄹ. 구의 부피는 $\dfrac{4}{3}\pi r^3$

원뿔의 부피는 $\dfrac{1}{3} \times \pi r^2 \times 2r = \dfrac{2}{3}\pi r^3$

원기둥의 부피는 $\pi r^2 \times 2r = 2\pi r^3$

그러므로 (구의 부피)$+$(원뿔의 부피)$=$(원기둥의 부피)이다.

따라서 보기 중 옳은 것은 ㄱ, ㄷ, ㄹ이다.

 자료의 정리와 해석

Level 1 본문 114~117쪽

01 풀이 참조 **02** 1 **03** ② **04** ④ **05** ④ **06** ③

07 ④ **08** ⑤ **09** ② **10** ③ **11** ④ **12** ① **13** ④

14 ② **15** ⑤ **16** ⑤

---

01 주어진 자료를 줄기와 잎 그림으로 정리하면 다음과 같다.

컴퓨터 사용 시간

(0|2는 2시간)

줄기	잎
0	2 5 8 9
1	2 2 2 3 4 5 7
2	1 2 6 8
3	0 1 3 6
4	0 1

02 잎이 가장 많은 줄기는 1이다.

04 자유투 성공률이 80 % 이상인 선수는 6명이고

전체 농구 선수가 20명이므로 $\dfrac{6}{20} \times 100 = 30 \ (\%)$이다.

05 조사한 도시의 개수는 잎의 총 개수와 같으므로 15개이다.

06 평균 기온이 20 ℃가 넘는 도시는 5개이고, 전체 도시의 개수가

15개이므로 $\dfrac{5}{15} \times 100 ≒ 33.\cdots$, 즉 약 33 %이다.

07 $a : b = 1 : 3$이므로 $b = 3a$

$4 + a + 3a + 8 = 20$이므로 $a = 2$, $b = 6$

영화 평점을 7점 이상 준 사람은 $b + 8 = 14$(명)이므로

구하는 비율은 $\dfrac{14}{20} \times 100 = 70 \ (\%)$

08 도수의 총합이 다른 경우 상대도수의 분포표를 이용하면 두 자료를 비교하기 용이하다.

09 등교 시간이 10분 미만인 학생이 전체의 60 %이므로 10분 이상인 학생은 전체의 40 %이다.
이때 등교 시간이 10분 이상인 학생은 $5+2+1=8$(명)이므로
$\frac{8}{b} \times 100 = 40$ (%)에서
$b=20$
또, 도수의 총합이 20이므로 $a=20-(8+5+2+1)=4$
$\therefore a+b=24$

10 함정 피하기
줄기와 잎 그림은 변량의 정확한 정보를 알 수 있지만 도수분포표는 계급에 속하는 도수의 개수만 알 수 있다.

③ 등교 시간이 15분 이상인 학생 수는 3명이므로 이것은 전체의 $\frac{3}{20} \times 100 = 15$ (%)이다.

11 함정 피하기
변량이 삭제되거나 추가되면 도수의 총합이 달라지므로 모든 계급의 상대도수는 바뀐다.

주어진 표에서 등교 시간이 10분 이상 15분 미만인 계급의 상대도수는 $\frac{5}{20}$ 이지만 등교 시간이 7분인 학생이 전학 갈 경우 $\frac{5}{19}$ 가 되어 상대도수가 커진다.

12 실수하기 쉬운 부분 짚어보기
계급값과 도수를 헷갈리지 말아요!

ㄷ. 윗몸 일으키기 횟수가 20회 미만인 학생은 6명이다.
ㄹ. 가장 많은 학생들이 속해 있는 계급은 30회 이상 40회 미만이고 계급값은 35회이다.

13 연간 봉사활동 시간이 10시간 이상 학생은 총 8명이다.
전체 학생 수가 25명이므로 $\frac{8}{25} \times 100 = 32$ (%)이다.

14 계급의 크기는 2시간, 계급의 개수는 5개이므로 $a=2$, $b=5$
또, 연간 봉사활동 시간을 6번째로 많이 한 학생이 속한 계급은 10시간 이상 12시간 미만이고 그 계급값은
$\frac{10+12}{2}=11$(시간)이므로 $c=11$
$\therefore 2a+b+c=20$

15 계급의 크기는 2시간이고, 전체 도수의 합은 25명이므로 히스토그램의 직사각형의 넓이의 합은 $2 \times 25 = 50$이다.

16 ③, ④ 전체 도수의 합이 바뀌므로 상대도수도 바뀐다.
⑤ 상대도수의 합은 항상 1이다.

Level 2
본문 118~121쪽

01 풀이 참조 **02** ① **03** ⑤ **04** ③ **05** ① **06** 26
07 ③ **08** ③ **09** ④ **10** ④ **11** ③ **12** ② **13** ⑤
14 ⑤ **15** ④ **16** 5명

01

치킨 전문점 개수(개)	자치구(개)
100이상 ~ 140미만	3
140 ~ 180	5
180 ~ 220	10
220 ~ 260	2
260 ~ 300	4
300 ~ 340	1
합계	25

02 계급의 크기는 40개이고, 도수의 총합은 25개이므로
$a=40$, $b=25$
$\therefore a+b=65$

03 도수가 가장 큰 계급은 180개 이상 220개 미만이고 계급값은
$\frac{180+220}{2}=200$(개)이므로 $a=200$
300개 이상 340개 미만인 계급의 계급값이 320개로 가장 크고 이 계급의 도수는 1개이므로 $b=1$
$\therefore a-b=200-1=199$

04 ③ 읽은 책의 수가 20권 이하인 학생은 11명이다.

05 ② 여학생 중 가장 많이 중복된 수학 점수는 65점으로 3명이 중복되었다.
③ 수학 점수가 60점 이하인 남학생은 2명, 여학생은 1명이다.
④ 수학 점수가 80점 이상인 남학생은 7명, 여학생은 5명이다.
⑤ 남학생 중 수학 점수가 가장 높은 학생은 99점, 가장 낮은 학생은 53점으로 점수의 차이는 $99-53=46$(점)이다.

06 1등은 99점인 남학생, 2등은 $(90+a)$점인 여학생, 3등은 94점인 남학생이다. 1등부터 3등까지 공동 순위가 없으므로 정수 a가 될 수 있는 값은 5, 6, 7, 8이다.
따라서 구하는 합은 26이다.

07 전체 회원의 수를 x명이라고 하면 50대인 회원들이 6명이고 상대도수가 $\dfrac{3}{20}$이므로 $\dfrac{6}{x}=\dfrac{3}{20}$, 즉 $x=40$(명)이다.
나이가 20대인 회원은 9명이므로 상대도수는 $\dfrac{9}{40}$이다.

08 30대 회원의 수를 p명이라고 하면 40대 회원의 수는 $(p-1)$명이다. 전체 회원의 수가 40명이므로 $9+p+(p-1)+6=40$을 만족하는 p의 값은 13이다.
한편, 히스토그램의 직사각형의 넓이는 계급의 도수에 정비례하므로 가장 큰 직사각형의 넓이와 가장 작은 직사각형의 넓이는 도수가 가장 큰 것과 가장 작은 것을 비교하면 된다. 가장 작은 직사각형의 넓이는 60, 가장 큰 직사각형의 넓이는 130이므로 $\dfrac{13}{6}$이다.
따라서 $a+b=6+13=19$

09 ④ 직사각형의 세로의 길이는 계급의 도수와 같다.

10 그래프별로 도수의 총합을 구하면 된다.
A상자 : $6+9+16+6+3=40$(개)
B상자 : $3+7+8+2=20$(개)

11 ① 사과의 무게가 310 g 미만인 계급의 도수를 구하면 A상자는 15개, B상자는 10개이다.
② 사과의 무게가 370 g 이상인 계급의 도수를 구하면 A상자는 3개, B상자는 0개이다.
③ 사과의 무게가 310 g 이상 340 g 미만인 계급의 상대도수를 구하면 A상자는 $\dfrac{16}{40}=0.4$, B상자는 $\dfrac{8}{20}=0.4$이다.
④ 사과의 무게가 340 g 이상 370 g 미만인 계급의 상대도수를 구하면 A상자는 $\dfrac{6}{40}=0.15$, B상자는 $\dfrac{2}{20}=0.1$이다.
⑤ 사과의 무게가 280 g 이상 310 g 미만인 계급의 도수를 구하면 A상자는 9개, B상자는 7개이다.

12 A, B 두 상자를 한 상자로 합쳤을 때 전체 개수는 60개이고, 280 g 미만인 사과의 개수는 9개이므로 상대도수는 $\dfrac{9}{60}=0.15$이다.

13 전체 학생 수가 35명이므로 수면 시간이 8시간 이상인 학생 수는 $35\times\dfrac{20}{100}=7$(명)
따라서 $1+a+8+11+7=35$이므로 $a=8$

14 전체 학생 수는 30명이고, 사교육 비용이 40만 원 이상인 학생 수는 전체의 $\dfrac{1}{5}$이므로 6명이다.
30만 원 이상 40만 원 미만인 계급의 학생 수를 x명이라고 하면
$2+8+7+x+6=30$
$\therefore x=7$
따라서 구하는 학생 수는 7명이다.

15 **실수하기 쉬운 부분 짚어보기**
경계에 있는 변량은 주의하자!
② $\dfrac{10}{b}=0.4$이므로 $b=25$
상대도수의 합은 항상 1이므로 $c=1$
$b+c=25+1=26$
① $a=\dfrac{6}{25}=0.24$
④ 대중교통을 5회 이용한 학생이 속하는 계급은 5회 이상 10회 미만이고 이 계급의 도수는 6명이다.
⑤ 0회 이용한 학생이 속한 계급은 0회 이상 5회 미만이므로 계급값은 $\dfrac{0+5}{2}=2.5$(회)이다.

16 계급의 개수가 5개이므로 대중교통을 가장 많이 이용한 학생은 20회 이상 25회 미만의 계급에 속하고, (다)에 의해 이 계급의 도수는 $25\times0.04=1$(명)이다.
이를 도수분포표로 나타내면 다음과 같다.

이용 횟수(회)	도수(명)
0이상 ~ 5미만	10
5 ~ 10	6
10 ~ 15	m
15 ~ 20	n
20 ~ 25	1
합계	25

이때 $m+n=8$이고, $1<n<m<6$을 만족해야 하므로 $m=5$, $n=3$이다.
따라서 계급값이 12.5회인 계급은 10회 이상 15회 미만인 계급이고, 이 계급의 도수는 5명이다.

Level ③　　　　　　　본문 122~123쪽

01 ④　　**02** ④　　**03** ⑤　　**04** ①　　**05** 13 : 17　　**06** ③

---

01 줄넘기 횟수가 10회 미만인 반은 1학년은 1개 반, 2학년은 3개 반이다.

02 줄넘기 횟수가 18회인 반은 2학년 전체 10개 반 중에서 4등이므로 상위 40 %이다.
또한 1, 2학년 전체 18개 반 중에서 9등이므로 상위 50 %이다.
따라서 $a=40$, $b=50$이므로 $a+b=90$

03 A반의 학생 수는 60명이고 남학생의 상대도수가 0.6이므로 남학생 수는 $60\times0.6=36$(명)이다.
B반의 학생 수는 40명이고 남학생의 상대도수가 0.3이므로 남학생 수는 $40\times0.3=12$(명)이다.
이것을 표로 작성하면 다음과 같다.

	남학생 수(명)	여학생 수(명)	전체(명)
A반	36	24	60
B반	12	28	40
합계	48	52	100

A반과 B반을 통합하면 전체 학생 수는 100명이고, 이 중 여학생 수는 52명이므로 전체 학생 수에 대한 여학생의 상대도수는 $\dfrac{52}{100}=0.52$이다.

[다른 풀이] 상대도수의 합은 항상 1이므로 A반과 B반의 여학생의 상대도수는 각각 $1-0.6=0.4$, $1-0.3=0.7$이다.
따라서 A반과 B반의 여학생 수는 각각 $0.4\times60=24$(명), $0.7\times40=28$(명)이다.

04 전체 30일 중에서 미세먼지 오염도수가 36 μg/m^3 이상인 날의 상대도수가 0.2이므로 미세먼지 오염도수가 36 μg/m^3 미만인 날의 상대도수는 0.8이고 $30\times0.8=24$(일)이다.
미세먼지 오염도수가 32 μg/m^3 이상 36 μg/m^3 미만인 날은 $24-2-5-12=5$(일)이다.

05 가장 높은 꼭짓점은 미세먼지 오염도수가 28 μg/m^3 이상 32 μg/m^3 미만인 계급으로 (30, 12)에서 수선을 내리면 두 부분으로 나뉜다. 계급값의 도수에서 수선을 내려 삼각형과 사다리꼴로 나누어 넓이를 각각 구하면 다음과 같다.

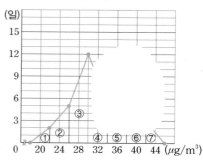

계급 32~36의 도수를 a일, 계급 36~40의 도수를 b일이라고 하면

① $\dfrac{1}{2}\times4\times2$

② $\dfrac{1}{2}\times4\times(2+5)$

③ $\dfrac{1}{2}\times4\times(5+12)$

④ $\dfrac{1}{2}\times4\times(12+5)$

⑤ $\dfrac{1}{2}\times4\times(5+a)$

⑥ $\dfrac{1}{2}\times4\times(a+b)$

⑦ $\dfrac{1}{2}\times4\times b$

두 부분의 넓이의 비는 (①+②+③) : (④+⑤+⑥+⑦)이고 $a+b=6$이므로

$\dfrac{1}{2}\times4\times\{2+(2+5)+(5+12)\}$
$\quad : \dfrac{1}{2}\times4\times\{(12+5)+(5+a)+(a+b)+b\}$
$=(2+2+5+5+12) : (12+5+5+a+a+b+b)$
$=26 : 34=13 : 17$

06 주어진 표를 완성하면 다음과 같다.

영어 점수(점)	도수(명)		상대도수	
	남	여	남	여
0이상 ~ 5미만	3	0.1×40 $=4$	$\dfrac{3}{30}=0.1$	0.1
5 ~ 10	0.3×30 $=9$	0.35×40 $=14$	0.3	0.35
10 ~ 15	$30-3-9-6$ $=12$	$40-4-14-2$ $=20$	$\dfrac{12}{30}=0.4$	$\dfrac{20}{40}=0.5$
15 ~ 20	6	2	$\dfrac{6}{30}=0.2$	$\dfrac{2}{40}=0.05$
합계	30	40	1	1

③ 점수가 10점 이상인 비율은 남학생은 $0.4+0.2=0.6$이고 여학생은 $0.5+0.05=0.55$이므로 여학생보다 남학생이 더 높다.

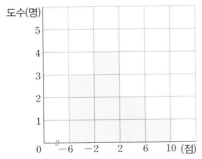

Level 4

본문 124~125쪽

01 45 **02** ⑤ **03** (1) 민지, 예성, 영민 (2) 4배 **04** ④

05 24명 **06** ④

---

01 주어진 자료를 정리하면 $a=6$, $b=7$이고 소수점 아래 둘째자리를 잊으로 하였으므로 $m=0.32$이다.

∴ $100m+a+b=32+6+7=45$

02 풀이전략 표를 이해하는 것이 어려울 경우, 형진이의 점수가 50점이라고 가정하고 해석해 본다.

⑤ 가장 높은 점수를 받은 하연이의 점수는 형진이의 점수보다 9점 높고, 가장 낮은 점수를 받은 동주의 점수는 형진이의 점수보다 6점 낮다. 따라서 두 사람의 점수 차이는 15점이다.

03 풀이전략 히스토그램을 그려 본다.

(1) 형진이의 점수가 계급값이고 계급의 크기가 4이므로 {(점수)−(형진이의 점수)}의 값이 −2점 이상 2점 미만의 점수를 받은 학생이 형진이와 같은 계급에 속한다.

(2) 형진이의 점수를 계급값으로 하고 계급의 크기가 4인 히스토그램은 다음과 같다.

히스토그램의 직사각형 넓이는 계급의 도수에 정비례하므로 가장 작은 직사각형과 가장 큰 직사각형은 도수가 4배 차이가 난다.

04 A반에서 상대도수가 0.4일 때 학생 수가 6명이므로 A반 학생 수는 15명, B반에서 상대도수가 0.2일 때 학생 수가 2명이므로 B반 학생 수는 10명이다.

ㄱ. A반에서 만족도가 8점 미만인 학생의 상대도수는 6점 이상 7점 미만 계급의 상대도수와 7점 이상 8점 미만 계급의 상대도수)의 합이므로 0.2보다 크다.

ㄴ. $(0.1+0.5)×10=6$(명)

ㄷ. 만족도가 6점 이상 7점 미만인 학생의 비율은 A반이 B반보다 높다.

ㄹ. A반과 B반에서 만족도가 8점 이상 9점 미만인 학생은 8명이므로 전체 25명 중 32 %이다.

05 풀이전략 조건을 이용하여 상대도수의 분포와 도수분포표로 정리한다.

1반에서 혈액형이 B형인 학생 수는 9명이고, 이때 상대도수가 0.3이므로 1반 학생 수는 $\frac{9}{0.3}=30$(명)이다.

또한 1반에서 혈액형이 O형인 학생 수는 $30×0.4=12$(명)인데 이는 전체 O형인 학생 수의 15 %이므로 전체 학생 중에서 혈액형이 O형인 학생 수는 $12÷\frac{15}{100}=80$(명)이다.

이를 표로 정리하면 다음과 같다.

혈액형	상대도수		도수(명)	
	1반	전체	1반	전체
A형	0.2	0.1	6	16
B형	0.3		9	x
O형	0.4	0.5	12	80
AB형	0.1		3	$64-x$
합계	1	1	30	160

전체 학생 중에서 혈액형이 B형인 학생 수를 x명이라고 하면 전체 학생 중에서 혈액형이 AB형인 학생 수는 $(64-x)$명이고, (다) 조건에 의하여 $16+x=64-x$이므로 $x=24$(명)이다.

06 ① A반의 학생 수는 25명, B반의 학생 수는 20명이다.

② A반의 학생 수(도수)가 B반의 학생 수(도수)보다 많으므로 A반의 도수분포다각형과 가로축으로 둘러싸인 부분의 넓이가 더 크다. 겹치는 부분을 제외하면 (가)의 넓이가 (나)의 넓이보다 크다.

③ 키가 165 cm 이상 170 cm 이하인 학생 수를 구하면 A반은 10명, B반은 5명이다.

④ 키가 175 cm 이상인 학생의 비율을 구하면 A반은 $\frac{1}{25}×100=4$ (%), B반은 $\frac{3}{20}×100=15$ (%)이다.

⑤ A, B반 전체 학생 중에서 키가 가장 작은 학생은 150 cm 이상 155 cm 미만의 계급에 속하고 A반에 있다.

01 줄기가 4인 학생 수는 6명이고, 전체 학생의 30 %이므로 전체 학생 수는 $6 \div \dfrac{30}{100} = 20$(명)이다.

줄기가 4, 5인 학생 수가 11명이므로 몸무게가 60 kg 이상인 학생 수는 9명이다.

따라서 몸무게가 60 kg 이상인 학생들의 상대도수는

$\dfrac{9}{20} = 0.45$

02 줄기가 7인 학생 수는 5명이므로 몸무게가 7번째로 무거운 학생의 몸무게는 64 kg이다.

03 100 m 달리기 기록이 16초 미만인 학생 수가 12명이고, 전체의 40 %이므로 전체 학생 수는 $12 \div \dfrac{40}{100} = 30$(명)이다.

100 m 달리기 기록이 18초 이상인 학생이 전체의 30 %이므로 학생 수는

$30 \times \dfrac{30}{100} = 9$(명)

$\therefore b = 9 - 5 = 4$

도수의 총합이 30명이므로 $a = 30 - (3 + 9 + 5 + 4) = 9$

$\therefore a + b = 13$

04 A반의 전체 학생 수는 20명, B반의 전체 학생 수는 30명이다.

ㄷ. 운동 시간이 2시간 이상 4시간 미만인 계급의 상대도수를 각각 구하면

A반은 $\dfrac{4}{20} = \dfrac{1}{5}$, B반은 $\dfrac{5}{30} = \dfrac{1}{6}$

따라서 A반의 상대도수가 B반보다 크다.

05 도수분포다각형과 가로축으로 둘러싸인 부분의 넓이는 히스토그램의 직사각형의 넓이의 합과 같다.

A반의 경우 계급의 크기가 2시간, 도수의 총합이 20명이므로 히스토그램의 넓이는 40이다.

B반의 경우 계급의 크기가 2시간, 도수의 총합이 30명이므로 히스토그램의 넓이는 60이다.

따라서 A반의 도수분포다각형과 B반의 도수분포다각형으로 둘러싸인 부분의 넓이는 20이다.

06 도수의 총합이 $3 + 5 + 8 + 6 + 2 = 24$(명)이고, 히스토그램의 전체 넓이가 72이므로 계급의 크기는 3천원이다.

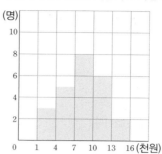

따라서 도수가 가장 큰 계급은 7000원 이상 10000원 미만이며 이 계급의 계급값은 $\dfrac{7000 + 10000}{2} = 8500$(원)이다.

07 주어진 표를 완성하면 다음과 같다.

볼링 점수(점)	학생 수(명)	상대도수
50이상 ~ 60미만	1	$\dfrac{1}{20} = 0.05$
60 ~ 70	$0.2 \times 20 = 4$	0.2
70 ~ 80	8	$\dfrac{8}{20} = 0.4$
80 ~ 90	$20 - (1 + 4 + 8 + 2)$ $= 5$	$\dfrac{5}{20} = 0.25$
90 ~ 100	2	$\dfrac{2}{20} = 0.1$
합계	20	1

따라서 $a = 4$, $b = 0.4$, $c = 0.25$이므로

$a + 10b + 100c = 33$

08 ① 계급값이 7.5분인 계급의 도수를 구하면 지안이의 히스토그램에서는 5분 이상 10분 미만의 도수이므로 8보다 크고, 민수가 정리한 히스토그램에서는 6분 이상 9분 미만의 도수이므로 8이다.

⑤ 계급의 크기를 10분으로 정리한 히스토그램은 계급의 개수가 2개뿐이어서 자료의 분포 상태를 알아보기 어려울 것이다.

09 지안이가 정리한 히스토그램의 경우 계급의 크기가 5분, 도수의 총합이 50명이므로 히스토그램의 직사각형의 전체 넓이는 $x = 250$이다.

민수가 정리한 히스토그램의 경우 계급의 크기가 3분, 도수의 총합이 50명이므로 히스토그램의 직사각형의 전체 넓이는 $y = 150$이다.

따라서 $x - y = 250 - 150 = 100$

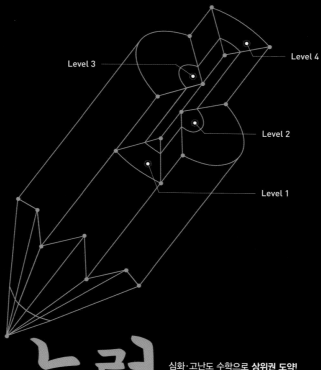

뉴런 고난도

심화·고난도 수학으로 **상위권 도약!**

수학 1(하)

정답과 풀이

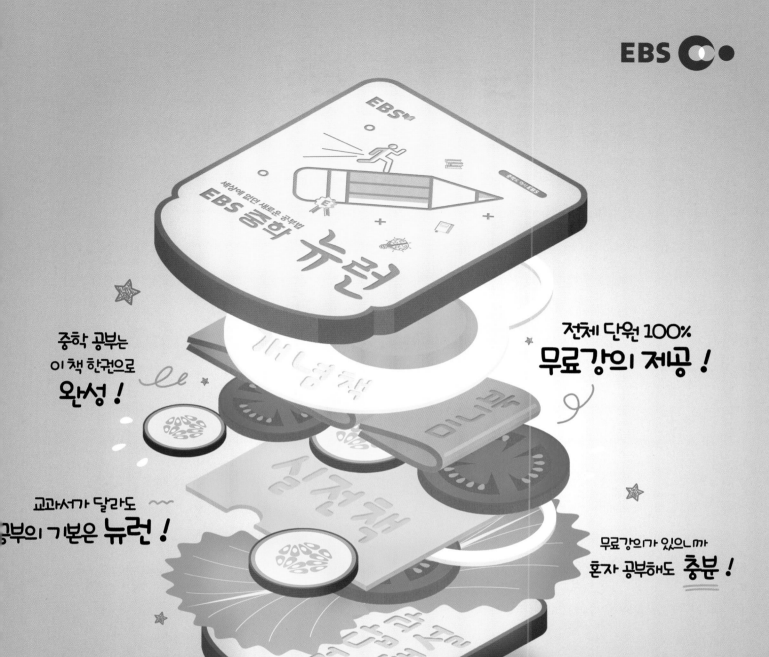

중학 공부는
이 책 한권으로
완성 !

전체 단원 100%
무료강의 제공 !

교과서가 달라도 ～
공부의 기본은 **뉴런 !**

무료강의가 있으니까
혼자 공부해도 **충분 !**

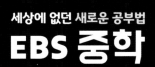

중학도 EBS!

EBS중학의 무료강좌와 프리미엄강좌로 완벽 내신대비!

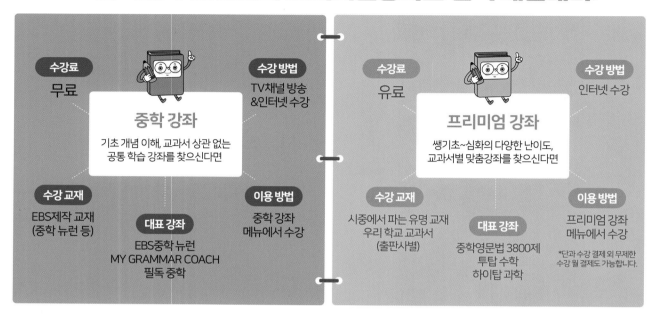

중학 강좌
기초 개념 이해, 교과서 상관 없는
공통 학습 강좌를 찾으신다면

수강료
무료

수강 방법
TV채널 방송
&인터넷 수강

수강 교재
EBS제작 교재
(중학 뉴런 등)

대표 강좌
EBS중학 뉴런
MY GRAMMAR COACH
필독 중학

이용 방법
중학 강좌
메뉴에서 수강

프리미엄 강좌
쌩기초~심화의 다양한 난이도,
교과서별 맞춤강좌를 찾으신다면

수강료
유료

수강 방법
인터넷 수강

수강 교재
시중에서 파는 유명 교재
우리 학교 교과서
(출판사별)

대표 강좌
중학영문법 3800제
투탑 수학
하이탑 과학

이용 방법
프리미엄 강좌
메뉴에서 수강

*단과 수강 결제 외 무제한
수강 월 결제도 가능합니다.

프리패스 하나면 EBS중학프리미엄 전 강좌 무제한 수강

내신 대비 진도 강좌

☑ 국어/영어: 출판사별 국어7종/ 영어9종
우리학교 교과서 맞춤강좌

☑ 수학/과학: 시중 유명 교재 강좌
모든 출판사 내신 공통 강좌

☑ 사회/역사: 개념 및 핵심 강좌
자유학기제 대비 강좌

영어 수학 수준별 강좌

☑ 영어: 영역별 다양한 레벨의 강좌
문법 5종/독해 1종/듣기 1종
어휘 3종/회화 3종/쓰기 1종

☑ 수학: 실력에 딱 맞춘 수준별 강좌
기초개념 3종/ 문제적용 4종
유형훈련 3종/ 최고심화 3종

시험 대비 / 예비 강좌

· 중간, 기말고사 대비 특강
· 서술형 대비 특강
· 수행평가 대비 특강
· 반배치 고사 대비 강좌
· 예비 중1 선행 강좌
· 예비 고1 선행 강좌

왜 EBS중학프리미엄 프리패스를 선택해야 할까요?

현직 교사들이
직접 참여하는 강의

타사 대비 60% 수준의
합리적 수강료

60%

프리패스 회원만을
위한 특별한 혜택

자세한 내용은 EBS중학 > 프리미엄 강좌 > 무한수강 프리패스(http://mid.ebs.co.kr/premium/middle/index) 에서 확인할 수 있습니다.

*사정상 개설강좌, 가격정책은 변경될 수 있습니다.